KB062257

아직
최선을
다하지
않았어

.

.

.

.

감잡은 마이페이보릿의
본격 운영일지

들어가며

2018년 8월 군산에서 처음 시작한 마이페이보릿이 이 글을 쓰고 있는 2023년 기준, 벌써 햇수로 6년이 됐다. 마이페이보릿 처음 2년 간의 좌충우돌 운영기를 담았던 책 '필요해서가 아냐, 좋아하니까'를 책으로 낼 때도 지금과 같았다.

'2년이나 지난 이야기를 지금에서야 책으로 내는 것이 의미가 있을까?'
'모든 것이 실시간으로 전달되고 반응하는 시대에?'

그럼에도 결국 손으로 만져지는 책으로 내기로 한 이유는, 오히려 모든 것이 실시간으로 빠르게 소비되고 흘러가는 시대라는 점에서 더 의미가 있을 수 있겠다고 역으로 생각하게 됐고, 무엇보다 '처음'이라는 순간을 담는 것은 시간과 상관없이 의미가 있겠다는 생각에서였다.

2020년부터 2022년까지 약 2년 간 마이페이보릿의 이야기를 담은 이야기를 뒤늦게 2023년에야 책으로 만들게된 것도 결국 같은 이유다. 점점 시간에 쫓기게 되면서, 무엇보다 '아직 최선을 다하지 않았어'라는 제목이 무색할 정도로 현재 시점에서는 최선을 '몹시' 다하고 있다는 점에서스스로에게 살짝 민망한 감정이 들기도 하지만, 그렇기 때문에 '아직 최선을 다하지 않았던' 시기의 마음가짐과 이야기가 현재의 나에게도 충분한 의미가 있겠다 싶었다.

처음 2년과 비교하자면 확실히 그다음 2년 간의 이야기는 좀 더 세밀하고 깊은 고민을 담을 수 밖에는 없었다. 모든 것이 처음이었던 첫 2년에 비해, 시장을 비로소 이해하게 되고 또 그 안에서 여러 가지 시행착오를 통해 본격적으로 운영에 감을 잡게 된 시기였다. 그래서 '기대'와 '우려'의비중이 높았던 첫 책과는 달리 두 번째 책에는 더 깊은 '생존'과 '지속'에 대한 고민이 가득 담겼다. 그리고 자화자찬이 될 수 밖에는 없겠지만, 정말 객관적으로 첫 번째 이야기보다 더 재미있어졌다 (진짜다!).

그리고 이 책의 제목 '아직 최선을 다하지 않았어'를 최종적으로 선택하기까지 참 고민이 많았다. 이건 단순히 책을 위한 제목이 아니라 지난 시간 마이페이보릿을 운영하면서 내게 아주 중요한 가치관이었기 때문에 이 문장을 제목으로 떠올린 건 그리 오래 걸리지 않았다. 하지만 자칫이 제목이 현재 최선을 다하고 있는, 또 죽어라 최선을 다하고 있는데도 이루려는 바에 도달하지 못해 좌절하고 있는 이들에게 그저 배부른 소리, 허황된 이야기로 받아들여질까 조심스럽기도 했다.

그럼에도 최종적으로 이 제목을 선택하게 된 건, 서울에 새롭게 매장을 추가로 내게 된 2023년 현재의 나는 아이러니하게도 '죽어라 최선을 다해야'만 하는 시기를 마주하고 있기 때문이다. 어쩌면 마지막이었을지도 모를, 절대 마지막이 되지 않았으면 하고 바라게 되는 '아직 최선을 다하지 않았던' 시기의 이야기는 그렇게 그저 덜 힘들고 덜 압박받으며 일했던 시기의 대한 기록이 아니라, 무엇을 지키려고 했었는지에 대한 기록으로 남았으면 좋겠다.

2023년 5월
신현이 (아쉬타카)

차례

2022

2020

1. 2주년 갑자기

화들짝!

"어떻게 될지 예상할 수 없는 일들이 너무 많고, 불확실한 요소가 가득하니 일단 2년만 해본다는 생각으로 시작해보자. 2년 정도 해보면 어느 정도 결론을 낼 수 있겠지"

이렇게 얘기하고 서울에서 군산에 내려와 가게를 낸 지 오늘로 딱 2년이 되었다.

그렇다, 마이페이보릿 시네마스토어가 벌써 2주년을 맞았다. 2년이라는 시간을 돌이켜 보면 항상 어느 구간의 2년이던 빠르게 지나갔다고 느끼기 마련이지만, 처음 경험하는 것들로 가득 찼던 지난 2년은 정말 하루하루가 다이내믹한 시간들이었다. 고민스럽지만 행복한 시간들이었고.

1주년이 되었을 때도 비슷한 말을 했던 것 같지만, 마이페이보릿은 여러 가지로 운이 좋았고 천천히 가려던 본래의 계획보다 훨씬 빠르게 성장했다. 2주년이 되어서 돌아봐도 이 평가는 그대로 일 것 같다. 할지 말지, 아니 피할수 있다면 피하고 싶었던 온라인 스토어를 시작한 것은 코로나 시대를 견디는 신의 한 수가 되었고, 이제는 온라인을 안 했으면 어떡하려고 그랬나 싶을 정도로 우리의 매출 구조는 온라인 중심으로 자연스럽게 바뀌었다.

그렇게 일주일에 유일하게 쉬는 월요일 조차 택배 포장으로 인해 사실상 쉬지 못하게 될 정도로 바쁘게 지내다 보니, 다른 한 편에서 계획 중이던 일들은 자연스럽게 미뤄졌다. 그중 하나가 글 쓰는 일과 관련된 것인데, 처음 시작하던 무렵에는 곧 독립출판도 완성하고 몇 가지 새로운 프로젝트도 가능할 것만 같았지만 현실은 (놀랍게도) 아무것도 진행하지 못했다. 그 좋아하는 영화도 거의 못 보고 쓰고 싶은 글도 한 줄 새로 못 쓰다 보니 가게는 잘 되어도 마음 한켠은 계속 답답하고 스트레스가 쌓여갔다.

그래서 갑자기.
2주년을 맞은 오늘.

더 이상 지체하면 안 될 것 같다는 생각에 잠이 들려는 나를 깨워 이렇게 노트북 앞에 앉았다. 뭐라도 쓰다 보면 뭐라도 되겠지 라는 마음으로 일단 다시 시작하기로 했다. 오랫동안 운동하지 않았던 몸을 천천히 만들어 가듯이, 다시 천천히 조금씩 쓰기 시작하면 글쓰기도 점점 더 근육처럼 힘을 붙여갈 수 있겠지. 자, 오늘은 이만하면 됐다!

2. 단지 운이 좋았을 뿐이야

코로나 시대 자영업자로 살아남기

잘 안다고 까지는 말할 수 없지만 오프라인에서 몇 번 인사도 나누고 그전부터 관심이 있던 탓에 인스타그램도 팔로우하고 있는 서울에 한 독립 책방이 있다. 코로나 19로 힘든 가운데 그럭저럭 잘 지내시고 있는 줄 알았는데, 어젯밤 올라온 글 하나 때문에 하루 종일 마음이 쓰였다.

코로나 19가 오래 지속되고 서울 지역은 2.5단계가 계속 연장되면서 여러 자영업자들은 특히 더 큰 어려움을 겪고 있다. 그래서 며칠 째 하루에 손님이 한 명 밖에 오지 않은 탓에 결국 같이 일하던 직원들을 관두게 하고 여러 계획했던 일들도 무산되며 어떻게든 버티기 위해 다른 일을 더 알아보고 있다는 글. 진짜 남일 같지 않게 느껴져서 일까, 그 글에 담긴 감정을 조금이나마 공감할 수 있어서일까. 그 답답함이 나도 종일 가시질 않았다.

뉴스에 나오는 여러 시민들과 자영업자들의 인터뷰. 시장에 손님이 하나도 없어서 너무 걱정이라는 상인. 고위험 시설로 지정되어 그동안도 너무 힘들었지만 앞으로는 아예 정부에서 영업을 하지 말라는 탓에 매달 빚이 쌓여가면서도 아무것도 할 수 없는 노래방 주인. 9시가 넘어 영업하는 술집을 단속하는 공무원과 오늘 10만 원 밖에 못했는데 인간적으로 너무 하는 거 아니냐며 화를 내는 음식점 주인까지. 아마 내가 아직까지 회사원이었다면 그냥 간접적으로 느낄 수 밖에 없었을 짧은 뉴스 한 토막이었을 거다.

물론 지금도 완전히 같은 상황이라고는 할 수 없기 때문에 그 고통을 다 이해한다고 말할 수는 없지만, 적어도 내게 같은 상황이 닥쳤을 때 어떤 느낌일지 상상하는 것은 가능해졌다. 나는 가끔 뉴스 등을 통해 어떤 어려운 상황에 처한 누군가의 사연을 듣게 되면 '내가 당사자라면 어떻게 했을까?' 생각을 해보곤 하는데, 많은 경우는 '나라면 이렇게 했을 것이다'라는 답이 어렵지 않게 나오기도 하지만, 또 많은 경우는 도저히 답이 없는 막막한 느낌을 받을 때도 있다.

만약 내가 코로나 19로 정부 정책에 따라 강제로 문을 닫아야만 하는 업종 혹은 영업에 제한을 받는 업종의 주인이라면 어떻게 할까 라고 생각해 보면, 도저히 답이 떠오르지 않는다. 이미 몇 달에 걸친 코로나로 인해 매출은 90%

가까이 떨어졌고 그로 인해 임대료 및 기본 비용 조차 내지 못해 대출 등 빚을 최대한으로 지고 있는 상태에서 아예 문 조차 열지 못하는 상황을 맞게 되면 도대체 무얼 어떻게 해야 할까.

모두가 힘겨운 시간을 보내고 있다는 걸 잘 알고 있기에 누군가를 탓하기도 어렵고, 그렇다고 속수무책으로 삶이 무너져 내리는 걸 보고만 있을 수도 없는 노릇이니 그 속이 얼마나 타들어갈지 겨우 상상해볼 수 있을 정도다.

이렇게 '나였으면 어땠을까?' 생각해 봤을 때 아무런 답도 찾을 수 없을 경우, 결국 씁쓸한 위로만 남게 된다.

'그래, 나는 단지 운이 좋았을 뿐이야'라고.

요새 들어 정말 그런 생각을 자주 한다. 운이 좋았을 뿐이라고. 물론 나 역시 코로나로 인해 완전히 줄어든 매장 손님 (토요일은 가장 매출을 기대하는 날인데 평소 평일보다도 적은 손님들이 지나갔을 뿐이다)으로 인해 어떻게 하면 더 길어질지도 모를 이 시기를 버텨낼 수 있을지 매일매일 고민하고 방법을 찾아내려 애쓰고 있기는 하지만, 과연

이 상황이 애를 쓴다고 해결될 수 있는 일인가 하면 결코 그렇지 않다.

아무리 애를 써도 속수무책으로 그저 시간이 지나가기만을 바라며 고스란히 매일매일 피해를 고통으로 느껴야 하는 이들은 과연 애를 덜 썼기 때문일까. 버틴다는 건 어떻게든 현상유지를 하는 것이라기보다는 매일매일 빚이 늘어나는 걸 견딜 수 있을 때까지 견딘다는 것에 가까운데, 수많은 자영업자들이 (물론 회사들도 마찬가지다) 끝이 보이지 않는 이 터널을 끝까지 통과할 수 있을지 섣불리 위로도 응원도 건네기가 어렵다.

버텨내는 것 말고는 아무것도 할 수 없는 이 시기. 이 시기를 겪는 (나를 포함한) 모든 자영업자들이 조금이라도 더 버텨낼 수 있기를 바라고 또 바랄 뿐이다.

3. 아주 오래 해도 익숙해지지 않는 일

그건 바로 씨에스

아주 예전부터 온라인 스토어는 가급적 (최대한) 하고 싶지 않다는 말을 자주했었는데, 그건 모두 CS 때문이었다. 고객의 불만사항 혹은 의견 등을 수렴하고 커뮤니케이션하는 일. 물론 대부분은 불만사항을 처리해야만 하는 일이다.

나는 어쩌다 보니 회사 생활을 처음 시작하고부터 가게를 운영하는 지금까지 CS 업무와 떼려야 뗄 수 없는 관계였다. 온라인 쇼핑몰의 DVD파트 담당자로 또 운영자로 오래 일하면서 자연스럽게 CS를 직접 맡게 되었었고, 나중에 브랜딩, 마케팅 담당자가 되었을 때도 직접 사용자들의 CS를 해결하고 커뮤니케이션하는 일을 오래 맡기도 했다. 특히 온라인 쇼핑몰의 담당자로 있을 때는 제품을 구매한 소비자들과의 커뮤니케이션이 잦을 수 밖에는 없었는데, 안타깝지만 대부분은 안 좋은 기억으로 남는 경험들이었다.

나중에 서비스를 운영하고 기획할 땐 전체적인 서비스 운영 톤 앤 매너나 고객과의 커뮤니케이션 메뉴얼을 작성하고 사내 직원들에게 교육하는 업무까지 맡기도 했지만, 그래도 그 일은 매번 힘든 일이었다. 회사를 관둔 여러 이유 중 하나도 오로지 소비자(고객)로만 살고 싶어서였는데 그렇게 어렵게 관두고 새로 시작한 일이 온갖 CS를 정통으로 맞아내야 하는 오프라인 가게에 온라인 스토어 사장이라니 모순도 이런 모순이 없다.

이렇게 오래 관련 업무를 해왔으면 이제 좀 익숙해질 만도 한데 이 업무는 스트레스와 직접적으로 연결되어 있는 일이라 그런지 한 뼘도 익숙해지지가 않더라. 현재 우리 온라인 스토어는 만약 조금이라도 늦게 시작했더라면 이 코로나 시대를 어떻게 버텨낼 수 있었을까 싶을 정도로, 안 했다면 큰 일이었을 선택이었지만 정말 그 당시에만 해도 할 수만 있다면 끝까지 하고 싶지 않았던 선택이었다. 온라인 쇼핑몰이라는 건 얼굴을 대면하지 않는 수많은 고객을 상대하기 때문에 오프라인에 비해 훨씬 더 많은 CS를 처리해야 한다는 걸 너무 잘 알고 있었기 때문이다. 온라인은 오프라인에 비해 제반 비용이 덜 드는 강점이 있지만 그만큼 더 많은 CS를 처리해야만 한다 (등가교환의 법칙!).

직접 쇼핑몰을 만들거나 운영하지 않고 네이버 스마트

스토어를 운영 중인데 여러 가지 장단점이 있지만, 게시판으로 주로 문의하던 쇼핑몰 시스템과는 달리 메신저 형태로 주로 커뮤니케이션을 하게 되어 있는터라, 고객의 질문이 시간을 정해두지 않을 때가 많다. 오히려 밤늦은 시간과 새벽 시간에 문의가 많은 편이다. 물론 고객의 입장에서는 별도의 게시판 같은 것이 없으니 게시판에 남기듯 (즉, 즉각적인 대답이 오지 않더라도 괜찮은) 질문하는 경우도 있겠지만, 가끔 내용을 보면 바로 대답을 왜 안 하는가 묻는 형태의 질문들도 있다. 그럴 때면 지금 몇 시인지 되묻고 싶지만, 당연히 그런 실수는 범하지 않는다. 가끔 작은 가게나 서비스의 사장들이 욱해서 실수하는 경우를 보게 되는데, 당연히 잘못된 실수지만 충분히 이해는 된다. 안타깝기도 하고.

그렇게 메신저 형태로 톡이 올 때가 많다 보니 휴대폰으로 시도 때도 없이 알람이 온다. 새롭게 온라인 스토어를 운영하면서 정한 몇 가지 규칙 가운데 영업시간이 아닌 시간에는 CS도 (아주 심각한 경우를 제외하면) 대응하지 말자라는 것이 있는데, 그래서 늦은 시간 톡이 와도 대응을 하지 않지만 그 내용은 어쩔 수 없이 보게 되는 경우가 많다. 대부분 불만에 관한 것이다 보니 그 내용을 보는 것만으로도 나 역시 종일 기분이 좋지 않다. 그리고 그 내용을 보는 것만으로 다음 날 아침 그 CS를 해결할 때까지 마음이 답답해지곤 한다. 많은 경우 잠 못 이루기도 하고. 그래서 요즘엔 아예 톡이 뜨는 걸 보지 않으려고도 하는데, 혹시 모를 일 때문에 곁눈질로 슬쩍슬쩍 보게 된다. 보고 나서 별 일 아닌 재고 문의 같은 일이면 마음을 쓸어내리기도 하고.

완벽하게 CS의 스트레스에서 탈출하는 방법은 있다. 완전히 기계처럼 대응하는 것이다. 감정을 섞지 않고 손해를 더 보더라도 커뮤니케이션 과정 중에 발생할 수 있는 스트레스보다 그 비용을 지불하는 것이 낫다고 판단되면 과감하게 협의 혹은 논의를 생략하고 무조건 고객이 원하는 대로 처리하는 것이다. 이를 테면 이 것이 반품 혹은 교환 사유인가 아닌가에 대해 소비자와 판매자의 의견이 다를 때 제품 비용을 손해 보는 것보다 그 커뮤니케이션 과정 속에서 스트레스를 받는 것이 더 큰 비용이라고 생각되면 애초에 첫 단계에서 고객이 원하는 대로 처리를 하는 것이다. 내가 오랜 시간 CS 업무를 하며 얻게 된 단 하나의 노하우라면 이걸 꼽을 수 있겠다. 좀 더 나아가자면 고객의 성향을 재빨리 파악해 어느 것이 더 비용을 덜 들이는 일인지

빨리 알아채는 촉이 좋다는 것 정도.

그렇게 이제 오프라인보다 온라인 매출이 더 커진 마이 페이보릿 온라인 스토어는 그런 촉으로 CS를 처리하며 하루하루 보이지 않는 살얼음판 위를 걷는 중이다. 이쯤 했으면 어떤 고객의 무리한 요구도 (물론 정당한 요구도 많다) 크게 마음 쓰지 않고 기계처럼 깔끔하게 처리하고 심리적 타격도 없어야 할 텐데, 아직도 한 건 한 건 불만사항이 접수될 때마다 가슴이 콩닥거리고 하루 종일 마음이 쓰인다 (아 물론 짬에서 나오는 바이브 덕에 고객은 전혀 그런 내용을 눈치챌 수 없을 정도로 표면적인 처리는 잘하고 있다. 그건 당연히 잘해야 하고).

다른 힘든 일은 어려움을 해결했을 때 쾌감이나 보람이 있기 마련인데, 물론 아주 없는 것은 아니지만 대부분 고객과의 CS는 해결 이후에도 쾌감은 거의 없는 편이다. 그냥 버텨냈다 하는 안도감 정도. 그래도 경력자라고 수많은 사전 대비를 해 놓은 탓에 우리는 지금 규모에 비하면 상대적으로 악성 CS의 비율은 아주 적은 편이다. 확률적으로 어느 정도는 존재할 수 밖에는 없고 비례해서 증가할 수 밖에는 없는데, 그런 측면에서 봤을 때 아주 적은 수준으로 관리하고 있는 것이 그나마 다행이다.

　아... CS에서 완전히 독립하는 날이 과연 올까. 행여나 사업이 잘 돼서 내가 일일이 작은 일을 하지 않게 되더라도 고객이 남긴 작은 댓글이나 리뷰에 움찔움찔하겠지. 빨리 더 높은 완성형의 AI가 개발되어서 인류의 건강을 좀먹는 스트레스 유발 CS는 시스템이 모두 처리하는 날이 왔으면 좋겠다. 아니야, 그래도 소비자 대부분은 상담원 연결을 누를 거야. 흑.

4. 다시 고요해진 시간여행자 거리

그래서 좋아하긴 했는데 말야

　가끔씩 매장 오픈 초기에 썼던 예전 글을 읽어볼 때가 있는데, 롤러코스터라고 부를 만큼 그때는 정말 하루하루 매출의 등락도, 방문하는 손님들의 숫자도, 그에 따른 나의 감정 기복도 엄청나게 요동쳤더랬다. 그때에 비하면 어느 정도 가게 운영에 익숙해지고, 매장도 자리 잡으면서 여러 가지 기복은 다행히 줄어들었지만 코로나 19 이후 요즘은 다시 그때로 돌아간 듯한 느낌을 종종 받는다.

　특히 추석을 며칠 앞둔 최근 평일 시간여행자 거리의 풍경은 2년 전 그때를 떠올리게 한다. 골목은 1시간 넘게 아무도 지나가지 않을 때도 가끔 있고, 몇 시간 동안 드문 드문 사람이 다니기는 하지만 가게에 들어오는 손님은 한 명도 없거나 들어와도 바로 나가는 손님들만 있는, 한적하다 못해 고요한 분위기. 달라진 점이 있다면 항상 마스크를 쓰고 있어야 한다는 점 정도다.

　가게를 운영한 지 얼마 되지 않았던 2년 전에는 정말 멘

탈을 부여잡는 것이 쉽지 않은 날들이 많았다. 하루 종일 아무도 오지 않는 가게를 혼자 지키고 있거나, 끝내 아무도 오지 않아 매출에 숫자 0을 기록 아닌 기록하는 날에는 우울함이 쉬이 가시질 않았다.

요 며칠 군산은 다시 조용해졌다. 그때와 다른 점이라면 그때는 어떻게든 손님을 유치하기 위해 적극적으로 홍보라도 해볼 수 있었지만, 지금은 잘 아시다시피 여행을 오라고 독려하기 어려운 때라 이마저도 못하고 있다. 손님이 와도 걱정 안 와도 걱정인데 (물론 전자가 아주 조금 더 낫지만), 다시금 고요한 시간들을 보내고 있다 보니 별 생각이 다 든다.

몇 달 전만해도 너무 바빠서 매장에서 손님을 응대하는 것만으로도 벅차 추가적인 일들을 전혀 하지 못해 답답할 때도 있었는데, 지금이 딱 그런 일들을 하나씩 해결해 나가면 좋을 시기이련만, 회사와는 다르게 혼자서 으쌰으쌰해서 기운을 만들어 내야 하는 일이 생각보다 잘 되지 않는다.

다음 주면 긴 추석 연휴인데, 역시 연휴 기간 방문을 독려하기도 안 하기도 어렵다. 다들 그렇겠지만, 그러면 차라리 가게 문을 닫고 어디라도 마음껏 놀러 가 휴식이라도 취하면 좋은데 그럴 수도 없으니 여러 가지로 답답하다. 결국 이 작은 가게 안에서 어떻게든 모든 해결책을 찾아내야만 한다는 생각으로 오늘도 뭐라도 해보려고 이렇게 글을 써본다.

5. 뒷마당의 새끼 고양이들은 어디로 갔을까

벌써 독립한 걸까?

가게 뒷마당을 다른 용도로 쓰지 않으면서 종종 놀러 오던 고양이들에게 사료를 챙겨준지 몇 달이 지났는데, 자주 놀러 오던 아이는 골목 이름을 따 '월명이'라는 이름도 붙여주었고, 그렇게 매일매일 얼굴 보며 지내는 사이가 되었다.

몇 달 전 월명이는 새끼를 낳았는데, 새끼들도 건강하게 잘 지내주어서 매일 가게를 올 때마다 월명이 새끼들 밥도 챙겨주고 행동을 관찰하는 재미로 한동안 잘 지내고 있었다. 그런데 며칠 전부터 새끼들이 보이질 않아 걱정이다. 아주 가끔 새끼들 없이 월명이만 모습을 보이는 경우에도 몇 시간 후면 함께 모습을 보이곤 해서 크게 걱정을 안 했었는데, 요 며칠 사이 월명이도 모습이 뜸하고 새끼들도 전혀 모습이 보이질 않는다.

그 사이 월명이는 부쩍 배가 나왔는데 또 새끼를 밴 것만 같다. 출산을 앞두고 제법 큰 새끼들은 독립을 한 걸까? 이 동네는 모두들 고양이에게 우호적인 분위기라 꼭 우리가 돌보지 않더라도 어디서 잘 지낼 확률이 높긴 하지만, 아직 독립을 하기엔 새끼 냥이들인데 갑자기 자취를 감추어버리니 몹시 걱정이 된다.

우리 뒷마당처럼 외부 사람들의 왕래가 없고 사료에 캔도 잘 챙겨주는 꿀 숙소는 흔치 않을 텐데, 다들 어디서 무얼 하는지 오늘도 아침부터 월명이만 잠깐 밥 먹으러 오고 새끼들은 내내 보이질 않는다. 이대로 안녕인 걸까?

6. 어떡하면 매일 프레쉬할 것인가

반복 속에서 생경함 찾기

매일매일 반복하는 일들이 있다.

온라인 판매의 비중이 커지면서 여러 채널을 통해 고객의 질문에 답해야 하는 일이 점점 늘고 있는데, 그중 대부분은 같은 질문들이다. 그러니까 매일매일 같거나 유사한 질문에 수십 번씩 같은 대답을 유사 붙여 넣기 하고 있는 것이다.

오늘도 크게 다르지 않았다. 한 고객분은 바이닐 제품 상태에 대해 문의를 주셨고, 나는 또 비슷한 답변을 했다. 내가 '유사 붙여 넣기'라고 했던 건 완전히 똑같은 답변은 아니고, 매번 상황에 맞게 조금씩 다른 답변을 하기 때문이지만 전체적인 맥락은 거의 같기 때문이다. 바꿔 말하면 대부분의 질문에 내가 판매자로서 할 수 있는 답변은 거의 정해져 있다. 질문에 따라 정도와 종류만 선택한다고 보면 되는데, 그렇다 보니 반복적일 수 밖에는 없고 CS라는 것이 어쩔 수 없이 스트레스를 동반하기 때문에 (물론 이건 고객도 마찬가지다) 반복될수록 그 스트레스는 곱절이 된다.

그런데 중요한 건 판매자인 나로서는 이 답변이 매일매일 수십 차례씩 반복되는 일이지만, 그 질문을 하는 소비자 입장에서는 많아야 1~2번, 보통은 한 번 있는 경우라는 점이다. 이게 참 서로 어울리기 힘든 콤비인데, 한쪽은 처음 하는 질문이고 다른 한쪽은 무한 반복적인 답변을 하는 관계다. 고객을 상대하는 모든 업종에서 아마 그럴 테지만.

그래서 고민은 항상 이거다.
'어떡하면 매일 프레쉬할 것인가'

처음 질문하는 사람의 바이브에 맞게 나 역시 처음 답변을 하는 태도로 매번 정성껏 잘 대응할 수 있을 것인가 하는 것. 이건 매너리즘과는 좀 다르고, 반복적인 일을, 그래서 기계적이거나 감정적이 되기 쉬운 일을 어떻게 매번 처음처럼 의욕적으로 해낼 수 있을까 하는 문제다. 그래서 많은 규모 있는 곳들은 기계적인 매뉴얼을 정해두거나 정말 아예 시스템이 (이를테면 챗봇 같은) 처리하도록 하는 경우도 많다. 그것이 분명 더 효율적일 거다. 그런데 우린 아직 규모도 작고 이 부분은 내가 특별히 신경 쓰는 부분이기도 하다 보니 선뜻 놔버리지 못하고 있다.

어떡하면 매번 반복되는 질문들에 좀 더 성심성의껏 답변할 수 있을까.

오늘도 또 한 번 반복되는 답변이 스스로 마음에 들지 않아 고민이 더 깊어진다.

7. 진짜 적당히 알려지길 바라

진심입니다. 거짓이 아니에요

　뭐 대단한 유명세가 있었던 것은 아니지만 가게를 연다고 했을 때 아마 다른 사람 같았으면 있는 인맥 없는 인맥 다 끌어와서 최대한 널리 홍보하려고 했을 텐데 (그게 당연하기도 하고), 나는 얼마 없는 인맥과 유명세를 조금도 활용하지 않았다. 2년이 지난 지금도 마찬가지고.

　그동안 블로거나 커뮤니티 내 전문 필자로서 활동했던 것과 전혀 무관하지 않은 가게를 오픈한 것이었기 때문에 만약 홍보를 했다면 말 그대로 정확히 타게팅된 순도 높은 홍보였을 텐데도 가급적 그렇게 하고 싶지가 않았다.

　배부른 소리처럼 들리겠지만 (실제로 어느 정도 배부른 소리가 맞다) 그렇게 최대치로 홍보를 하고 싶지 않았던 건 그 정도의 규모를 감당할 자신이 없었기 때문이다. 물론 여기는 한 가지 전제가 있다. 홍보가 내가 예상한 규모를 만들 정도로 성공해야 한다는 점. 하지만 그 규모라는 것이 엄청난 수준이 아니었다는 점에서 그저 운영하던 SNS나 활동하던 커뮤니티에 '저 이런 가게 오픈했어요!'라고 소개

글만 올려도 아마 성공했을 수준이라는 점도 그 전제에 포함해야겠다.

감당할 수 있을 정도로만 하고 싶은 것이 애초부터의 목표였다. 회사에서는 내내 감당하기 힘든 일들을 극복하는 것이 일상이나 마찬가지였기 때문에 그랬는지도 모르겠지만, 막상 내가 온전히 주인인 자영업임에도 얻을 수 있는 최대치를 목표로 하고 싶지 않았다. 널리 더 널리 알려져서 손님(지금은 주로 온라인 소비자)들이 많아지면 좋지만, 직원 하나 없이 아내와 둘이서 하는 작은 가게의 특성상 감당할 수 있는 규모가 어느 정도 예상되었기 때문이다. 그 규모를 넘어서는 순간 더 많은 시간과 노력을 업무에 쏟아야하고, 그로 인해 내가 왜 이 일을 시작하게 되었는지를 점점 잃게 아니 잃을 수밖에 없을 것이 너무나 자명했다.

예전과 달리 요즘은 SNS 등의 작은 불씨가 결코 작은 불씨로 끝나지 않을 때가 더 많다. 그것이 작은 가게로서는 큰돈 없이도 홍보할 수 있는 장점이 되기도 하는데, 가끔은 너무 갑자기 감당하기 힘들 정도의 손님을 맞게 되는 경우도 있다 (물론 우리는 아직 멀었지만). 아마 이런 얘기를 하면 혹자는 '야, 그렇게 손님이 몰리면 그때가서 걱정해. 미리 배부른 소리부터 하지 말고'라고 말할지 모른다. 그런데 내 경험상 손님이 몰리게 되었을 때 걱정하면 이미 늦더라.

그래서 아직도 한 동안은 진짜 적당히 알려지길 바란다. 딱 감당할 수 있는 수준이거나 아주 조금 초과하는 정도로. 그렇게 큰 욕심 없이 천천히 해나갈 수 있다면 좋겠다.

8. 공간, 퀄리티, 확장

고민 3요소

오프라인 가게를 하는 입장이다 보니 아무래도 공간에 대해 관심이 많다. 누군가의 공간. 누군가의 취향과 의지가 담긴 공간. 단순히 디자인적으로 압도하는 공간. 특히 최근 몇 년 사이 국내에 카페를 비롯해 너무 멋진 공간들이 정말 많이 생겼다. 카페가 아닌 공간들은 주로 더 큰 규모와 자본이 투입된 터라 훨씬 더 디자인적으로 시선을 끄는 공간들이 많은데, 나도 언젠간.. 하며 두 눈으로만 계속 담아내곤 한다.

우리 가게가 적산가옥을 최대한 그대로 살린 형태로 리모델링한 공간이다 보니 공간에 관한 질문들도 많이 받곤 하는데, 몇 번 얘기한 적도 있지만 가게를 준비할 때 꼭 이런 공간을 1순위로 꼽았던 것은 아니었다. 오히려 당시 관심 있던 공간들은 미니멀리즘 성격이 강한 공간들이었다. 우리 가게도 처음에는 본의 아니게 판매할 품목이 많지 않아서 시원시원한 전시와 미니멀리즘이 (강제로) 강조된 형태였는데, 2년이 지난 지금은 품목이 늘어나다 보니 어쩔 수 없이 오밀조밀, 가득가득한 형태를 갖추게 되었다. 이런 모습도 나쁘지는 않지만 조금 더 디자인적으로 시선을 끄는 공간이었으면 하는 바람이 있던 나로서는 지금의 모습이 100% 마음에 들지는 않는다.

솔직히 아직까지는 공간을 최대한 적당한 선에서 활용하는 것이 가능한데 앞으로가 문제다. 입고해야 할 새로운 아이템은 계속 나오고, 반응이 덜한 아이템은 점점 수량을 줄여가기는 하겠지만 동시에 계속 반응도 좋고 우리 가게를 대표하는 베스트셀러 아이템들도 계속 보유해야만 한다. 한정된 공간에서 이 적당한 숫자를 맞추는 것이 가장 어려운 일인데 그래도 오프라인 위주일 때는 이것이 어느 정도 가능했다. 하지만 온라인 매출이 늘게 된 지금은 오프라인의 규모를 넘어서는 재고와 부자재들이 필요하기 때문에 공간 활용에 점점 더 어려움을 겪는 중이다.

일례로 카페를 중단하면서 공개를 중단한 외부 화장실의 경우 배송 박스와 완충제 등을 넣는 창고로 활용한 지오래고, 다른 눈에 보이지 않는 공간들도 모두 박스나 부자재, 액자 등으로 가득 차 있다. 그럼에도 아주 가끔 온라인 주문이 갑자기 느는 날에는 박스나 부자재가 모자랄 정도로 많은 양의 부자제를 여유 있게 갖고 있을 공간이 부족한 편이다. 그래서 최근 가게 근처에 창고로 쓸만한 아주 작은 공간이라도 알아보는 중인데 이마저도 쉽지가 않다.

서비스의 퀼리티가 경쟁력인 작은 가게의 입장에서 그 퀼리티를 저해하는 요소들을 어떻게 해결할 것인가가 요즘 가장 큰 고민이다. 가장 큰 서비스 저해 요인 중 하나는 마스크=코로나인데 매장에서 일하는 분들은 공감하겠지만 하루 종일 마스크를 쓰고 손님을 상대해야 한다는 것은 쉽게 지치고 짜증이 나기 때문에 퀼리티 면에서 가장 큰 적이다.

또 다른 저해 요인은 한정된 공간에서 손님을 맞으면서 온라인 CS와 포장을 동시에 해야 한다는 점이다. 따로 포장할 공간이나 여력의 인력이 없다 보니 동시에 진행해야 하는데, 온라인 주문이 많거나 아니면 매장에 손님이 많거나 할 때면 한쪽만 영향을 보는 것이 아니라 양쪽 모두의 서비스 질에 영향을 받게 된다. 쉽게 말해서 정신없이 일하게 되는데 최근 그런 경우가 점점 잦아져서 이를 어떻게 해결할 것인가가 주된 고민이다.

자꾸 여기저기서 환경과 지표들이 나에게 확장을 강요하고 있는 느낌이다. 나는 또 그만큼 철저하게 내치는 중이고 (웃음). 최근 다른 곳과 이야기 중인 프로젝트도 확장과 관련된 것인데, 무리하지 않으면서 더 오래 버티는 양분이 될 만한 확장 방법에 대해 앞으로도 계속 고민할 것 같다.

마스크 쓰고 있던 대형 그루트. 그리운 풍경이다.

9. 그랜드 부다페스트 호텔
나도 갖고 싶어!

　　대형 포스터를 판넬로 제작, 판매를 시작하게 되면서 매장 내에도 전시할 겸 엄선한 포스터 몇 점을 대형 액자형 판넬로 제작했더랬다. 다른 얘기지만 매장에 전시할 판넬로 어떤 영화 포스터를 제작할 것인지를 두고 나 혼자 엄청 고민이 많았었다. 이것도 만들고 싶고, 저것도 만들고 싶고, 이건 판넬로 전시하면 정말 멋질 것 같고, 이건 우리 가게의 시그니처나 다름없는 작품이라 꼭 만들어야 하고, 이건 정말 많은 분들이 찾는 영화라 이걸 전시해야 좋을 것 같고 등등. 수많은 이유들에 비해 매장에 전시할 판넬의 숫자는 한정되어 있다 보니 5~6가지 정도의 작품을 추리는 데 홀로 고민이 많았었다 (정말 많았다).

　　그렇게 선정된 영화 포스터 가운데는 웨스 앤더슨의 영화 '그랜드 부다페스트 호텔 (The Grand Budapest Hotel, 2014)'의 대형 포스터도 있었다. 우리가 판매하는 포스터들 가운데 가장 큰 사이즈가 극장용 대형 사이즈인데, 이 포스터는 그중에서도 가로형으로 좀 더 큰 사이즈라 우리가 판매하는 포스터 중 가장 큰 포스터다. 포스터를 보는 순간 이건 무조건 액자로 만들어야겠다 싶어 제작을 맡겼는데, 액자로 완성된 포스터는 역시 그 위용(?)이 대단했다.

워낙 큰 사이즈이기에 매장에서도 손이 닿지 않는 위쪽에 전시를 해두었는데, 우연히 위쪽을 보게 되었다가 이 포스터를 발견하고는 이런저런 얘기를 나누는 손님들의 모습을 종종 볼 수 있다. 사실 이건 판매라기보다는 전시용으로 제작 했다고 볼 수 있다. 왜냐하면 대형 액자형 포스터는 주문제작 형태로 우리가 배송을 하는 것이 아니라 제작업체 쪽에서 바로 배송이 되기 때문에 매장에서는 바로 택배 발송이 어려워 구매를 하려면 직접 이 큰 사이즈의 액자를 들고 가야 하기 때문이다. 혹시 차를 가지고 온 손님이 살 지도 모르겠다 라는 생각도 있었지만 '설마..'라는 생각과 함께 오래오래 전시할 요량으로 제작한 포스터였다.

그런데 지난 주말 어떤 손님이 한참이나 고개를 높이 들어 이 포스터를 주목하더니 동행과 얘기를 나눈 뒤 이윽고 나에게 판매가 가능한지, 얼마인지 묻는 것이 아닌가. 나는 가격은 얼마고, 이건 1개밖에 현재 없어서 주문을 하시게 되면 직접 들고 가셔야 합니다 라고 대답을 했다. 이 때까지만 해도 '설마 이걸 사시겠어?'라고 생각했는데 손님분의 반응이 점점 더 살 것 만 같았다. 보통 이런 경우면 어떻게든 그 결심이 흔들리지 않도록 조마조마하며 판매 성공을 바라곤 하는데, 이 날은 조금 달랐다. 정말로 살 것만 같은 분위기가 연출되면 될수록 속으로는 '아, 안 샀으면 좋겠는데...' 싶은 마음이 들었다.

내가 좋아서 내가 좋아하는 물건들을 수급해 판매하는 가게이다 보니 우습지만 가끔 이런 경우가 생긴다. 마지막 한 개 남았을 때 특히 그런데, 뭐랄까 그랜드 부다페스트 호텔 액자와는 아직 이별할 준비가 되지 않았는데, 아니 그 것보다는 언제가 이별할 거라고 생각조차 해보질 않았는데 너무 갑작스럽게 맞닥뜨린 터라 더욱 조바심이 났다. 그렇게 남몰래 속으로 '어떡하지..' 하고 마음을 졸이고 있었는데 다행히(?) 손님이 결국 구매를 포기하는 바람에 이 포스터는 그대로 매장에 남게 되었다.

가게 주인이 제품이 판매될까 봐 걱정하는 꼴이라니(웃음).. 한 편으론 우습지만 그런 애정이 계속 존재한다는 것에 나름 자부심도 느낀다. 이 가게는 그런 마음이 없으면 운영할 수 없는 곳이니까.

다행히 아직까지도 손님에게 뺏기지(?) 않았다

10. 근원적 질문

요즘 종종 되 묻는다

월요일은 일주일에 단 하루 있는 (와, 내가 능동적 주 6일 근무자라니) 정기휴일이다. 정기휴일이라도 일주일에 딱 하루이다 보니 쉰다기보다는 이것저것 업무를 위한 준비를 하는 것으로 보내는 편인데, 요새는 그나마도 주말 동안 들어온 온라인 주문을 포장하는 일로 오히려 월요일이 더 바쁘다. 특히 최근엔 화요일 하루를 더 쉬어야 되지 않을까 싶을 정도로 월요일이 정말(정말로) 바쁘다.

그 많은 온라인 주문의 대부분은 LP(vinyl)다. 우리는 다른 바이닐 샵들에 비해 사운드트랙을 위주로 판매하는 편이고 다른 인기 팝이나 가요는 아주 제한적으로 내가 좋아하는 앨범과 수급할 수 있는 제품에 한해서만 판매하고 있는 걸 감안한다면 제법 많은 주문량이다. 그렇게 업무의 많은 시간을 바이닐을 포장하는 데에 할애하다 보니 자연스럽게 그런 생각을 하게 되었다.

'OST 말고 인기 있는 팝이나 가요 앨범들도 주력으로

팔면 어떨까?'

'지금보다 훨씬 더 많이 팔 수 있지 않을까?'

이런 생각을 안 할 수가 없는 것이, 사운드트랙 위주(90%)에 내가 좋아하는 사운드트랙 외 음반을(10%) 판매하는 데에도 이 정도 수준이라면, 훨씬 더 다양한 고객들을 상대할 수 있고 사운드트랙에 비해 더 큰 시장인 다른 인기 장르들을 모두 커버한다면 매출이 늘 수밖에 없지 않을까 싶기 때문이다. 예전부터 음악을 장르로 구분하는 걸 별로 안 좋아하기는 했지만 굳이 나누자면 대 장르로만 따져봐도 현재 10분의 1 정도만 취급하고 있다고 볼 수 있는데, 만약 나머지 10분의 9를 취급한다면 재고가 늘어나는 걸 감안하더라도 매출이 늘 수 밖에는 없기 때문이다. 그런데 이 생각은 다시 근원적 질문으로 돌아온다.

'그렇게 모든 장르를 다 판매하면 마이페이보릿을 시네마 스토어라고 부를 수 있을까?'

이 작은 브랜드를 유지할 수 있는 건 그나마 영화와 관련된 것들만 판매한다는 일종의 캐릭터가 있기 때문인데, 이 캐릭터가 흐려지게 된다면 결국 브랜드 자체가 흔들릴 수 있기 때문에 이 부분은 평소 가장 신중하게 생각하는 문제다.

우리 가게에는 영화 외적으로도 내가 좋아하는 영화 외음반들과 뮤지션들의 굿즈들을 소량 취급하고 있는데, 그때마다 매번 브랜드의 성격이 흔들리지 않는 선을 지키려고 예민하게 관리 중이다. 그런데 앞서 이야기했던 것처럼 점점 더 바이닐의 판매가 늘어나면서 내 맘 속 이런 유혹은 점점 더 강력해진다. 좋은 게 좋은 거라고 잘 팔 수 있는 걸 굳이 팔지 않는 것처럼 바보 같은 일이 어디 있냐고 할 수도 있는데, 차라리 새로운 브랜드 (혹은 서브 브랜드)를 내는 한이 있어도 이 선은 끝까지 지켜내고 싶다.

오늘도 동종의 다른 업체들을 모니터링하다가 어김없이 이런 유혹에 살짝 흔들렸다. 우린 취급하지 않는 (내가 좋아하지 않거나 잘 모르는) 앨범이지만 판매량이 많거나 없어서 못 팔 정도로 판매되는 앨범들을 보며, 우리도 그냥 팔아볼까 싶은 유혹.

안돼. 안돼. 차라리 마이페이보릿 뮤직 스토어를 따로 만들거야!

11. 임시휴업
지긋지긋하고 무서운 코로나

　부득이한 일로도 거의 휴무하는 일이 없었던 우리 가게인데, 이번에 처음으로 임시휴무를 3일이나 그것도 가장 큰 매출이 기대되는 주말 영업을 포기하게 되었다. 이게 다 코로나 때문이다.

　수도권 지역에 비해 집단 감염 사례가 거의 없었고, 한동안 거의 확진자가 나오지 않아 일종의 청정지역처럼 불리기도 했던 군산이었는데, 요 며칠 사이 학교와 어린이집, 유치원 등까지 확진자가 갑자기 많이 나오면서 거리두기도 2단계로 격상되었다. 안전문자가 뜰 때마다 겁이 날 정도로 짧은 기간 동안 많은 확진자가 나왔는데, 그중에서도 어린이집과 유치원, 학교 등에서 아이들이 확진되었다는 소식을 듣게 될 때는 정말 가슴이 아팠다. 검사를 받기 위해 보건소에 줄을 서 있는 아이들의 모습을 볼 때도 그렇고.

　우리 가게야 군산 분들보다는 대부분 관광객들이 찾는 곳이기는 하지만, 전국적으로도 확진자가 계속 늘고 있는 상황에서 어떻게든 이 고리를 끊지 못한다면 대유행으로 번질 수 있다는 생각에, 큰 맘먹고 주말 영업을 포기하기로 했다. 매장 매출의 거의 대부분은 주말 매출에 의존하고 있기 때문에 우리로서는 주말 영업을 포기한다는 것이 결코 쉬운 일은 아니다. 그렇다고 어디를 놀러 갈 수도 없고, 그저 집에만 있어야 하기에 더욱 아까운 시간과 기회비용이지만 그럼에도 지금의 이 확산세를 막아야, 아니 최대한 피해 가기라도 해야 되지 싶었다.

　토, 일, 월 3일간 그동안 밀린 일들도 하고 정리도 하며 보내야지 싶은데, 막상 문 닫은 텅 빈 가게에 홀로 앉아 있으니 일이 손에 잘 안 잡힌다. 11월은 이 어려운 상황 속에서도 어찌어찌 보냈는데 앞으로 12월이 또 걱정이다. 반 강제적으로 얻게 된 시간들을 잘 활용해야겠다.

12. 긍정으로 버티는 법

보너스! 보너스!

요 근래 전국적으로 코로나 19 확산세가 심상치 않다. 아니 무섭. 그간 수도권에서만 다수의 확진자가 주로 나왔던 터라 솔직히 군산에 있는 나로서는 크게 와 닿지 않는 것도 있었는데, 최근 들어 군산에도 연일 확진자가 발생하면서 사회적 거리두기도 2단계로 격상되었고 거리는 추운 겨울과 함께 점점 생기를 잃어가고 있다.

온라인 스마트 스토어가 예상보다 더 잘되면서 단기간 내 온라인 매출이 오프라인 매출을 훌쩍 뛰어넘은 것이 그나마 다행이긴 하지만, 오프라인 매장의 요즘 매출은 정말 처참한 수준이다. 우리는 그나마 고용한 직원도 없고 규모도 그리 크지 않아 피해가 덜할 뿐이지, 직원들도 여럿 고용하고 규모도 적지 않은 가게들, 식당들, 카페들은 어떻게 버텨낼지 남일 같지가 않다. 11월 매장 매출은 코로나를 감안하면 그래도 선방했다고 볼 수 있는데, 11월 말부터 심각해진 상황 탓에 12월은 연말에 크리스마스임에도 최악의 매출이 예상된다.

온라인과 오프라인 매출이 어느 정도 자리를 잡으면서 매달 각각 어느 정도 예상하는 목표치가 있는데, 12월은 아예 이런 기대를 접어야지 싶다. 그래서 아예 사고방식을 바꿔보기로 했다. 오프라인 매출은 목표치가 제로고 매장에서 생기는 매출은 전부 보너스 인걸로. 참으로 웃픈 계산 방식이지만 그렇게 생각하지 않으면 하루하루 텅 빈 매장을 지키는 일이 여간 괴로운 일이 아니다. 차라리 이렇게 보너스로 생기는 수입이라고 스스로 최면을 걸어버리면 그나마 버틸 만한 심리상태가 된다.

요새는 우리끼리 '이제 우리는 온라인 쇼핑몰이야, 매장은 가끔 서비스처럼 여는 거지'하며 웃픈 농담을 하곤 한다. 오프라인에 나만의 거점 형식 공간을 만들고 싶어서 처음 시작한 일이었는데, 온라인이 있어서 그나마 지속할 수 있는 것은 너무 감사한 일이지만 이 아이러니가 더 지속되면 점점 더 정체성에 혼란이 오지 않을까 살짝 두렵다.

오늘 일요일임에도 거리는 정말 한산하다. 그래도 보너스로 매출도 올렸다. 그렇게 조금씩 2020년과 이별해 간다.

13. 장기 계획이 필요해
끝나기만을 기다릴 수가 없다

언제부턴가 마스크를 판매하는 홈쇼핑 쇼핑호스트들의 언어가 조금 달라졌다.

'이제 마스크는 계속 쓰셔야 하니까 고민하시지 말고 여유 있게 가져가세요'

코로나 19 초기에는 마스크를 꼭 사야 한다는 것부터 설득했다면, 요즘에는 사야 하는 건 당연하니까 이 단계를 건너뛰고 왜 이 브랜드 마스크를 사야 하는지 설득하는 식이다. 그만큼 코로나 19 시대에 마스크는 생활필수품 이상의 필수품이 되어버렸다. 모두 마스크를 안 쓰던 시절이 고작 길어야 1년 전인데 '마스크 없을 땐 어떻게 살았지?' 하며 잘 상상이 안 될 정도로 이렇게 모두들 코로나와 마스크에 익숙해져 버렸다.

뉴스를 보다가 짠한 이야기가 있었는데, 처음에는 사람들이 '코로나 끝나면 뭐해야지'라며 계획들을 세웠었는데, 언제부턴가 점점 그런 계획들을 세우지 않게 되었다는 말이었다. 자연스럽게 포기 아닌 포기를 하게 되며, 장기전을 수용해버린 지금의 모습이 참 짠하게 느껴졌다. 나 역시 그렇고.

　이미 조금 늦은 감도 있지만 이제 더 이상 코로나가 끝나기 만을 바랄 수는 없게 됐다. 끝나기 만을 바라며 견디고 버텨 내기엔 이미 너무 많은 시간을 감수했고 무엇보다 얼마나 더 지속될지 예상할 수 없다 보니 무언가 장기 계획이 필요하겠다는 생각을 요즘 자주 한다. 크게는 수년간 해온 일을 그만두고 전혀 다른 일을 하루빨리 시작해야 할지도 모르고 작게는 해오던 일을 코로나 시대에 맞게 전환해야 할지도 모른다. 우리도 점점 더 오프라인 중심의 운영 방식을 지켜나갈 수 있을지 걱정이다. 완전히 다른 사업이 될지도 모르는 기회들 혹은 도전들에 나서야 하는 것인지, 아니면 조금 방향을 트는 정도로 수정 보완해야 할 것인지 시시각각 변하고 이 변화에 대응하는 인사이트들에 촉각을 곤두세우고 있다.

　흔히 '위기는 곧 기회'라고들 하는데, 물론 그렇다. 많은 위기는 평소보다 더 큰 리스크를 동반하기는 하지만 대신 더 큰 성공 확률이 있는 시기다. 그러니까 평소 같았으면 아주 오랜 시간이 걸리거나 어쩌면 결코 따라잡을 수 없을 정도의 차이를 극복할 수 있는 기회가 될 수도 있다. 우리 같이 작은 가게, 브랜드라면 더더욱 이런 기회는 흔치 않은 일일 테고.

내 안에는 항상 작은 가게로 잔잔하게 오래 버텨내고 싶다는 강한 의지와 뜬금없이 글로벌을 커버하는 대형 브랜드가 되고자 하는 약한 욕망이 공존한다. 이를 테면 내 맘 속 대세는 작은 가게 하나로 오래 남아 백 년 가게가 되는 것이지만, 다른 한편 작은 곳에서는 '한국의 츠타야가 돼야지' 같은 거대한 욕망이 작은 숨을 내쉬고 있는 것이다.

생존을 위해 변화가 선택이 아닌 필수일지도 모를 요즘, 여러 작은 욕망들이 평소보다 더 꿈틀댄다.

14. 커피의 저주 혹은 마법

비장의 카드 한 장은 남겨두고 파

내게는 오래된 동료같은 저주들이 있다. 나와 회사 생활을 같이 했던 이들은 잘 알고 있을 정도로 한 동안 내 삶전체에 드리워져 있었던 깊은 어둠의 저주다. 그냥 운이 없다고 말하기에는 너무 반복적이고, 피해 가려 애써봐도 결코 도망칠 수 없는 강력한 흑마법.

점심시간 동료들과 같이 식당에 가서 음식을 시키면 꼭 내가 시킨 메뉴가 제일 늦게 나왔다. 처음에는 당연히 그냥 우연이라고 생각했다. 하지만 이런 일은 같이 점심을 먹는 동료들도 느낄 정도로 잦아졌고, 나도 조금씩 벗어나기 위해 몸부림치기 시작했다. 먹고 싶은 점심을 먹는 것보다 이 저주에서 벗어나는 것이 어느새 목표가 되었고, 그렇다 보니 원하는 메뉴보다는 늦게 나올 확률이 낮은 메뉴를 골라 시켰다.

하지만 이마저도 소용이 없었다. 그 가게의 대표 메뉴를 시켰으나 내 것만 늦게 나오기 일쑤였고, 그래서 나는 다른 방안을 모색하게 됐다. 가장 많은 인원이 시키는 동일한 메뉴를 시키는 것이다. 예를 들면 제육덮밥 4개라면 나도 여기에 슬쩍 발을 들여서 제육덮밥 5개를 주문하는 것인데, 이거면 확실히 벗어날 수 있겠다 싶었으나 놀랍게도 결과는 그대로였다. 제육덮밥 5개를 시켰는데도 4개만 먼저 나온 것이다. 이런 일이 반복되자 동료들은 내가 안쓰러웠는지 동일한 메뉴 중 1~2개가 늦게 나오면 내게 먼저 양보했는데, 나도 오기가 있어서 온전히 식사가 다 나올 때까지 내 몫을 남겨두곤 했다.

결정적으로 한낱 인간이 이 저주에서 더 이상 벗어날 수 없겠구나 싶었던 일이 있었는데, 저렇게 다수가 주문하는 메뉴를 시켰으나 늦게 나온 정도가 아니라 모두 식사를 마치고 점심시간이 다 끝날 때까지 내 식사가 결국 나오지 않은 것이다 (심지어 하나가 안 나왔다는 사실조차 음식점에서는 모르고 있었다). 결국 내 메뉴는 부랴부랴 포장을 해올 수밖에 없었는데 이때 나는 본능적으로 수용했던 것 같다. 이 저주가 보통 강력한 저주가 아니라는 것을. 이 밖에도 비슷한 일은 계속됐다. 식당에 가면 음식물에 이물질이 나온다던가, 잘못 나온다던가 하는 일들. 그때마다 아내와 나는 '우리 한테 걸려서 다행이지, 진상한테 걸렸으면 어쩔 뻔했어'하며 오히려 식당을 위로했다.

그렇게 한 동안 비슷한 일이 없어서 이제 저주에서 벗어난 건 아닐까 은근히 생각하고 있는 요즘(하지만 저주의 강력함을 알기에 겉으로 소리내어 말하진 못했지), 새로운 저주 아닌 저주에 또 걸렸다. 바로 커피만 마시려고 하면 가게에 손님이 방문하는 저주다.

코로나 19로 가게에서 종일 마스크를 쓰고 있어야 하다 보니 손님이 없는 틈에만 겨우겨우 커피 한 잔을 마실 수 있다. 반대로 코로나 때문에 거리에 사람들이 완전히 줄어든 바람에 평일 같은 경우는 오랜 시간 방문하는 손님 한 명 없이 보내는 시간들도 많아졌다. 그래서 손님이 한 동안 오지 않을 땐 뜨거운 커피 한 잔을 내려 마시곤 하는데, 그렇게 한동안 아무도 방문하지 않던 가게에 커피만 내리면 꼭 손님이 방문한다. 그것도 한참을 머물거나 연달아 방문해서 결국 커피는 한 모금도 못 마시고 이내 차갑게 식고 만다. 손님이 계속 방문할 땐 아예 커피를 마실 생각조차 못하는데, 커피를 시도했다는 건 그만큼 한동안 방문하는 손님이 거의 없었다는 얘기다. 그렇게 '이쯤 되면 한동안 아무도 안 오겠지' 싶어 기다리다 기다리다 커피 한 잔을 딱 내려 자리에 앉으면, 기다렸다는 듯이 꼭 손님이 방문해서 다시 마스크를 쓰고 커피는 곧 식어버린다.

사실 이 커피의 저주 아닌 저주에 대한 글을 써야지 하고 마음먹은 지는 꽤 오래되었는데 오늘 드디어 쓰게 된 건 조금 전 커피를 한 잔 내렸음에도 손님이 오지 않아 이제 드디어 이 저주가 끝났구나 싶어서였다. 하지만 이는 어리석은 인간의 착각이었다. 한 모금쯤 마셨을까 이내 손님이 또 들어왔고 커피는 또 식고 말았다 (그래서 요즘엔 텀블러에 담아 마시는 보완책을 쓰기도 하지만 역시 그 뜨거움은 똑같지 않다).

요즘 같이 매장에 손님이 없고 매장 매출이 기록적으로 저조할 때, 그래서 손님 한 명 한 명이 귀할 때 이런 커피의 저주는 저주라기보다는 오히려 꼭 부리고 싶은 마법일지도 모른다.

그래서 요새는 이런 생각을 자주 한다. '정말 오늘 손님이 한 명도 안 오는 거 아니야' 싶을 땐 나도 모르게 '음... 그럼 커피 한 잔을 내려볼까?' 하는.

그런데 아직까지는 정말 커피 한 잔 마시고 싶을 때 편하게 마실 수 있는 호사를 더 누리고 싶다. 그리고 더 솔직한 심정은 만약 커피를 내리면 손님이 방문하는 마법을 부릴 수 있다면, 이 비장의 카드는 더 어려울 때를 위해 최대한 아껴두고 싶다. 지금도 정말 힘든 시기이지만 최대한 버티는데 까지 버텨보고, 언젠가 정말 자력으로는 아무것도 극복 할 수 없을 때, 그래서 마법이라도 부리고 싶은 순간을 대비해 이 비장의 카드는 최대한 아껴두고 싶다.

그렇게 오늘도 가게에서 뜨거운 커피는 마시지 못했다. 그래도 아직 내게 비장의 카드가 남아있다.

내 비장의 카드

15. 내일이 오면은

2020년 제발 안녕

학창 시절, 새해를 맞는다는 것은 몹시 특별하고 커다란 행사였다. 새해가 되어 새 학년이 되면 누구와 같은 반이 될까? 담임 선생님은 누굴까? 새로운 학교는 어떨까? 등 단순히 새해가 되는 것만으로도 달라지는 것들이 많았기 때문이다.

성인이 되어 사회생활을 하면서부터는 새해에 대한 이런 설렘과 기대가 점점 줄어들었다. 누구나 하는 새로운 계획과 다짐들을 해볼 수 있는 좋은 기회이기도 하지만, 단순히 달력의 새로운 한 장을 넘기는 것 그 이상도 이하도 아닌 (이렇게 말하면 너무 정 없지만), 물리적으로 새해여서 달라지는 것이 별로 없어진 다음부터는 점점 더 한 해를 마무리하고 새 해를 맞는 것에 큰 의미를 두지 않았던 것 같다.

모두에게 그렇듯, 2020년이라는 숫자가 아직도 어색한데, 무언가를 제대로 해보지도 못한 것 같은데 그저 답답함만 가득했던 채로 1년이라는 짧지 않은 시간이 모두 지나가고야 말았다. 각자에게 1년이라는 시간은 모두 다른 시간과 경험이 되기 마련이지만, 적어도 2020년이라는 1년의 시간은 아무도 경험해보지 못했던 아주 긴 인내의 시간이었다는 점에서 많은 이들과 공유된 시간이었다.

모두가 각자의 자리에서 버텨냈을 2020년이라는 시간은 내게도 쉽지 않은 인내의 시간이었다. 자영업자가 되고 2년 차에 맞은 코로나 19의 시대는 혹독했고, 어쩔 수 없는 일들에 대해 매일매일 인정해야만 했으며, 그럼에도 속수무책으로 당하고만 있을 수는 없어서 무언가 할 수 있는 일들을 계속 고민해야만 했던 시간이었다.

나는 평소 어떤 일을 맞닥 들이게 될 때 항상 최악의 상황을 염두해 두는 편이다. 최악의 상황을 대비하고 염두에 두면 모든 일에 기대치가 그리 높지 않기 때문에 실망하는 일도 그만큼 줄게 되고, 또 무엇보다 실제로 최악의 상황이 닥쳤을 때 비교적 차분하게 준비했던 대로 대응할 수 있는 장점이 있다. 실제로 많은 최악의 상황들이 벌어졌던 올 한 해는 그렇게 미리 준비했던 대로 대처하거나 혹은 최악의 상황까지 오지 않은 것에 감사할 기회가 오히려 더 많은 시간이었다.

'만약 이랬다면 어쩔 뻔했지?' '이런 경우는 방법이 없는데 우린 정말 운이 좋았다'하며 오히려 '다행이다'라는 말을 더 자주 했던 한 해이기도 했다. 그렇게 하지 않으면 버티기 힘든 경우들도 있었고, 실제로 상대적으로 다행스럽게 여겨지는 일들도 많았다.

안타깝게도 2020년이 끝나고 2021년이 된다고 해서 크게 달라지는 것은 없을지도 모른다. 생각보다 이 바이러스의 시대는 더 오래 지속되거나 극복되더라도 후유증이 오래갈 것이다. 그런데도, 2020년의 마지막 날이라는 건 정말 오랜만에 그 자체로 무언가 희망적이다. 설령 2021년까지 이 상황이 더 지속된다 하더라도 말이다. 고통을 겪을 때 가장 힘든 건 고통의 크기 때문이 아니라 그 끝이 보이지 않을 때다. 아무도 2020년을 시작할 때 이런 1년을 보낼 것이라고는 상상하지 못했을 것이다. 반대로 2021년은 누구나 스스로에게 최악의 상황을 가정한 상태로 시작될지도 모르겠다. 그렇게 조금 더 버텨낼 인내의 동력을 갖고 시작하는 것만으로도 2021년이라는 숫자는 그냥 희망적이다.

얼마 전 끝난 SMTM에서 발표된 릴보이와 기리보이의 '내일이 오면'이라는 곡을 요즘 자주 듣는다. 2021년에는

내일이 오면 어떨지 그래도 기대를 가질 수 있는 한 해가
되었으면 좋겠다. 2020년은 몇 번 써보지도 못했는데 이렇
게 끝나는구나. 안녕.

2020년의 마지막날. 눈이 내렸다.

2021

16. 연중무휴
말도 안 돼!!

　자고로 아직 '워라벨'이라는 말이 시중에 떠돌기도 전. 나는 진짜 가슴에 손을 얹고 한 점 부끄럼 없이 회사 일을 정말 열심히 했지만, 나보다 회사 일이 더 중요할 수는 없었다. 따지고 보면 나보다 더 중요한 회사 일이라는게 어디 있겠느냐만은 이걸 소리 내어 밖으로 내뱉는 순간 아무리 일을 열심히 해도 나는 경영진에게 그저 '쟤는 자기가 더 중요한 애잖아'라는 마이너스로 돌아올 뿐이었다 (그러니까 요즘같이 워라벨이 성행하는 시기에도 이걸 남에게 대놓고 들으라는 식으로 말하지는 마세요).

　내가 진짜 모든 일에 회사보다 내가 우선이라 회사 일을 등한시했다면 억울하지라도 않을 텐데, 정말 나를 제대로 못 챙겼을 정도로 (회사를 관두기 직전 내 몸 상태는 최악이었다) 일에만 몰두했는데도 언젠가 선언처럼 했던 말이 깊게 각인된 탓인지, 나는 그저 일보다는 자기가 더 중요한 사람을 넘어서기 어려웠다. 뭐 요즘은 워라벨이 가훈, 아니 사훈처럼 자연스러워진 세상이니까 조금 덜하려나.

이런 내가 요즘 고민이 참 많다.

우리 가게는 현재 월요일 하루만 쉬는 주 6일 근무환경
이다. 공식적으로는. 그런데 지난해부터 급격하게 자리 잡
은 온라인 업무 탓에 딱 하루 쉬는 날인 월요일도 매장을
오픈하는 날과 거의 동일한, 아니 오히려 주말 동안 밀린
택배 포장으로 하루 종일 다른 날보다 더 바쁜 날이 되어버
렸다. 즉, 언제부턴가 우리는 자연스럽게 주 7일 근무, 그러
니까 연중무휴 쉬는 날 없이 일만 하는(?) 회사가 되어버렸
다.

악착같이 돈을 벌거나 성공하겠다는 목표로 자영업에
뛰어든 거라면 상관없겠지만, 좀 적당히 살고 싶다는 모토
로 시작한 일인데 언제부턴가 자연스럽게 일주일에 하루도
쉬는 날 없이 일하는 환경이 되어버린 것이다. 물론 하루의
근무시간 총량은 보통보다 몇 시간 더 적기는 하지만, 매일
출근한다는 것 자체로 좀처럼 여유를 갖기 힘든 구조다. 코
로나 때문에 어차피 어디를 놀러 갈 수도 없고, 별다른 외
출 활동을 할 수 없다 보니 체감하는 면이 적다 뿐이지, 하
루도 쉬지 않고 일하는 이 삶에 언제부턴가 익숙해져버렸
다.

문득 그런 생각이 들자 더는 이러면 안 되겠다는 심각한 위기감이 들었다. 이렇게 일하다 보면 당장은 좀 더 많은 매출도 올리고 금전적으로 여유가 조금 더 생길지 몰라도, 아마 더 빨리 지칠 거다. 좋아하는 영화나 드라마도 요새는 거의 못 보고 (영화 굿즈샵 사장이 영화도 못 본다니 이거야 말로 의미 없는 장사다), 예전처럼 반짝반짝한 일들도 거의 못하고 있어 매번 남몰래 스트레스를 받는다. 이번 기회, 지금 타이밍이 아니면 못할 것 같아 조금 더 조금 더 하며 지속해 왔는데, 조금 더 할 수 있을 때 미리 멈추는 것이 내 진짜 강점이다.

지금 상태에서 하루나 이틀을 (진짜) 쉬려면 여러 가지 정리해야 할 일들이 고민이기는 하다. 매장에는 아르바이트를 고용해야 할지도 모르고, 온라인 스토어는 당일 배송이 아니라 하루 정도 더 걸릴 수 있다는 공지나 이로 인한 CS를 감당해야 할 것이다. 그래도 지금처럼 여유가 없는 삶은 더 이상 안 되겠다. 빨리 대책이 필요해!

17. 하루의 할당량

오늘은 모래시계가 빠른 속도로 소진

    육체적으로 말고 정신적으로 하루에 사용할 수 있는 업무의 할당량이 정해져 있는 것 같다. 아니 정해져 있다. 유난히 정신적으로 힘든 날들이 있는데, 감당할 수 있는 총량을 넘어버리면 아무것도 하기 싫고 할 수도 없는 상태가 되어버리곤 한다.

    오늘이 그런 날이었다.

    아침 9시가 되기 전부터 '띠링'소리와 함께 온 컴플레인 톡은 논리적으로는 충분히 해결 가능한 일이었으나 막무가내에 가깝게 나오는 터라 결국 내가 덜 스트레스받기 위해 환불을 해주기로 마무리 졌는데, 이게 침대에서 막 나오며 시작된 일이었다. 그렇게 출근도 전에 몇 건 더 컴플레인 상담을 한 뒤 이미 절반 이상 에너지를 쏟고 나서 출근한 매장은 오늘따라 유독 구경만 하고 안 사는 사람들의 연속이었다.

    평소 같았으면 조금 더 버틸 수 있었을 텐데, 오늘은 이미 오전부터 심리적 에너지를 잔뜩 쏟아낸 터라 계속되는 매장에서의 힘 빠지는 순간들을 더 오래 감당할 수가 없었다. 그래서 나와 이 가게를 지키기 위해 조금 일찍 문을 닫았다. 뭐 문을 닫고도 가게에서 한참이나 더 일을 해야 하지만, 그저 손님을 상대하지 않는 것만으로도 하루가 마무리된 것만 같다.

요새는 온라인 판매가 중심이 되면서 하루하루 CS도 자연스럽게 많아졌고 점점 더 감당하기 어려워짐을 느낀다. CS가 많아진 다는 것은 장사가 더 잘된다는 얘기이기도 할 텐데, 그것으로는 다 상쇄되지 않는 것이 문제다. 오늘도 조금 덜 벌더라도 조금 덜 스트레스받을 수 있는 방법을 고민 중이다.

18. 누군가를 고용할 타이밍

오지 않기를 바랐던 그 타이밍

　예전 회사를 다닐 땐 늘 인력이 부족했었다. 야근은 계속됐고 기존 팀원들도 지쳐갔는데 팀장으로서 할 수 있는 일 중 하나는 회사에 지속적으로 인력 충원을 요청하는 일이었다. 물리적으로 사람 하나가 더 있으면 해결할 수 있는 일들이 바로 눈앞에 있을 정도였기 때문에 추가 인력의 능력보다는 당장의 일손이 필요한 경우도 많았다. 그런데 그렇게 딱 100% 마음에 드는 사람을 채용하지 못하고 이력서를 받은 이들 가운데 가장 나은 사람을 조금은 어쩔 수 없이 뽑게 된 경우는 결과적으로 더 큰 리소스를 들게 만드는 원인이 되곤 했다. 물론 팀장이나 대표로서 누군가를 고용해본 경험이 있는 이들이라면 잘 알겠지만, 면접 시 100% 마음에 드는 사람은 드물고 또 설령 100% 마음에 들었더라도 막상 함께 일을 해보면 면접 때 느꼈던 것과는 거리가 있어 후회 아닌 후회를 하게 되는 일도 많다.

　서론이 길었는데, 지금 운영하는 이 작은 가게에도 드디어(마침내) 누군가를 고용해야 할지도 모르는 순간이 곧 올 것만 같다. 나는 지금까지도 어디 가서 마이페이보릿 대표로 불리거나 할 때마다 몹시 어색하다. 아직 규모가 작기도 하거니와 결정적으로 아직 아무도 고용하고 있지 않기 때문이다. 나는 대표로서 누군가를 고용해본 적도 없는데 이 고용이라는 것의 중요성은 왜 이리 잘 알고 있는지 모르겠지만, 누군가를 고용하고 월급을 준다는 건 전혀 다른 차원이 일이라 피할 수 있으면 최대한 피하고만 싶었던 것이 직원 채용이다.

그런데 얼마 전부터 자연스럽게 이제 직원을 뽑아야 할 타이밍이 아닐까 생각을 하게 됐다. 매출 규모나 서비스의 질, 업무의 양을 감안했을 때 파트타임이라도 한 명 정도가 더 있다면 훨씬 더 운영이 수월하겠다는 계산이 나오는 타이밍이 됐다.

시네마 스토어라는 영화 굿즈샵/편집샵의 특성상 아주 많은 부분이 가게 주인(나)의 성향과 장악력에 달려있다. 즉, 회사 일처럼 업무 분장을 쉽게 할 수 있는 영역이 아니라는 점이다. 인력을 채용하고도 내가 모든 것을 다 해서 그저 알려주거나 전달하기만 한다면 그건 효율적이지도 않고 그 직원에게도 별다른 비전이 없을 것이다. 그렇다고 내가 완전히 신경 안 쓰고 일부분을 맡길 수 있을 정도로 딱 맞아떨어지는 사람이 있을까 생각해보면 그건 정말 희박한 확률일 거다. 첫 술에 배부르랴 라는 마음으로 차근차근 시작하면 의외로 잘 풀릴 수도 있겠지만, 정말 중요한 누군가의 일(직업)을 나는 그저 '일단 뽑고 보자'라는 식으로 접근하고 싶지는 않아 계속 고민 중이다.

조만간 채용공고를 올리는 날이 정말 올까?
올 것만 같아 두렵다.

19. 우린 잘하고 있다

기분보다 기록이 말해준다

지긋지긋한 2020년이 드디어 끝나버려서인가. 기다렸던 2021년은 유난히 시간이 빠르게 가는 것만 같다. 무언가 새로운 해를 시작한 기분이 아직 나질 않는데, 벌써 한 달이 다 지나가 2월이다. 코로나 19는 확진자가 많아졌다 줄었다를 반복하며 점차적으로 줄어가는 추세이기는 하지만, 오프라인 매장을 하는 입장에서 보았을 때 아직까지 회복되었다고 말할 수는 없을 정도로 코로나 없던 같은 달 대비 매출은 현저히 떨어진 상태다.

새로운 아이템과 새로운 감각, 더 반짝이는 것들을 찾기 위해 많은 시간을 검색하고 모니터링하는 것이 주된 일 중 하나다 보니, 어쩔 수 없이 매일매일 더 멋진 곳들 (멋진 이들)을 보며 자극을 받곤 한다. 그 자극은 좋은 양분이 되기도 하지만 더 많은 경우는 일단 스트레스가 되곤 한다. 더 멋진 글을 읽고, 더 멋진 공간을 만나고, 더 멋지게 운영하는 회사와 경영자를 엿보고, 나를 훨씬 앞질러 나가는 것만 같은 가까운 이들을 볼 때면, 기운도 빠지고 다급함도 생긴다. 여전히 나는 하고 싶은 것들이 많고, 도전해 보고 싶은 프로젝트들이 많은데 어쩌다 보니 일 매출, 월 매출 등 숫자에 집착 아닌 집착을 하며 하루를 문제없이 완료하는 것에 그치다 보니 매번 아쉬움이 남는다 (최근 영화 '소울'을 보고 이런 스트레스는 조금 덜 신경 쓰게 됐다).

지난번 이야기했던 것처럼 그렇게 한 달에 하루도 쉬는 날 없이 달리다 보니 더 이상은 안 될 것 같아 결국 월요일 정기 휴일 외에 화요일까지 오프라인 매장을 하루 더 쉬기로 했다. 물론 쉬는 게 쉬는 게 되려면 택배 발송이 관건인데 일단 월요일과 화요일은 지연될 수도 있다는 공지를 해두었다. 이 공지대로 월, 화요일에는 택배 발송이 없을 수도 있다는 마음가짐으로 쉬는 것이 목표이나 단숨에 그리 쉽게 사람이 일을 놔버릴 수는 없을 터. 그래도 최대한 월요일은 종일 포장을 하고 화요일은 가급적 온전히 쉬는 것으로 애써볼 작정이다 (하지만 이 작정은 한 번도 실행되지 못했다고 한다 - 2023년의 나).

그렇게 주말 내내 밀린 택배를 포장하러 나온 월요일. 유독 주말 내내 주문이 많아 요 근래 가장 많은 양의 택배 포장을 하게 되었는데, 가게 안에 가득 쌓인 택배 상자들을 보니 절로 이런 말이 나왔다.

'우린 잘하고 있어'

이 어려운 시기에, 가게가 존폐 위기에 놓일 수도 있을 정도로 어려운 시기에, 직원 하나 없는 규모로 이렇게 성장할 수 있는 건 정말 잘하고 있는 거라고. 스스로를 칭찬할 만한 일이라고 아내와 서로 다독였다. 그리고 나는 스스로에게, 내가 100% 바라는 방향에서 조금 각도가 달라지기는 했지만 완전히 궤도가 변경되지는 않았으니 가는 동안 방향을 잃지만 않는다면 멈추지 않고 나아갈 수 있는 것 자체가 (요즘 같은 시기에는 더욱) 행운이라고 되뇌었다.

내일 오전부터 가게에서 인터뷰 촬영이 있는 덕에 오랜만에 가게 대청소를 시원하게 했다. 그동안 시간도, 쌓인 짐들을 놓을 공간도 부족해서 임시방편으로 정리해 두었던 것들을 모두 있어야 할 제자리로 돌려놓았다. 그렇게 2월 한 달도 산뜻한 마음가짐으로 다시 시작해본다.

20. 진짜 휴무

택배사가 쉬는 날이 우리도 쉬는 날

온라인 스토어를 시작하고 나서부터는 그날그날 주문 건 발송 처리를 해야 하다 보니 하루도 쉴 수 있는 날이 없었다. 보통의 온라인 스토어라면 오프라인 샵이 없는 경우가 대부분이라 택배가 쉬는 주말에 일반 직장인들처럼 쉬는 날을 갖기 마련인데, 우리는 오프라인 매장도 있다 보니 (더군다나 주말 매출이 대부분을 차지하고 있다 보니) 쉬는 날 없이 일하고 있다. 그나마 최근에는 일부러 기존 휴무일인 월요일에 하루를 더해 화요일까지 오프라인 매장 휴무를 임시적으로 갖고 있긴 하지만, 여전히 택배 발송의 유혹 (?)에서 벗어나지 못하고 있다.

그래서 농담처럼 택배사가 쉬는 날이 곧 우리의 진정한 휴무다 라고 말해왔는데, 그런 기간이 1년에 딱 두 번 정도 있다. 평일이지만 택배회사가 제품을 더 이상 수거/발송하지 않는 기간, 바로 설 연휴와 추석 연휴 전 며칠 간이다. 이 때는 연휴 앞뒤로 배송물량이 평소보다 훨씬 더 많기 때문에 보통 빨간 날의 3~4일쯤 전부터 신규 발송업무를 중단하곤 한다. 고객에게 제품이 배송되는 것은 더 늦게까지 진행하지만 신규 건을 받는 건 한시적으로 보류하는 것이다.

이번 구정 연휴를 앞두고 그렇게 택배사의 픽업 중단에 맞춰 며칠의 발송 공백을 갖게 됐다. 실제 휴일인 연휴기간까지 포함한다면 거의 일주일 가까운 긴 시간이다. 물론 이 기간이 끝남과 동시에 그간 밀려있는 주문건을 한꺼번에 포장/배송해야 하다 보니 업무가 더 가중되기는 하겠지만, 그래도 며칠 동안은 포장 업무의 부담 없이 보낼 수 있는 시간이라 오랜만에 여유 아닌 여유를 만끽하는 중이다.

하지만 엄밀히 말해 이걸 진짜 여유 혹은 휴무라고 보기는 어렵다. 왜냐하면 정말로 일이 없어서 쉬는 것이 아니라 특수한 상황 때문에 일을 계속 미뤄서 쌓아두는 형식이기 때문이다. 즉, 이 기간이 길어지면 길어질수록, 여유가 더하면 더할수록 그것이 끝나는 동시에 감당하기 힘들 정도의 업무를 한꺼번에 처리해야 된다는 부담감이 조여 온다. 그래서 우리도 아마 내일부터는 미리미리 조금씩 포장을 해둘 예정인데, 이건 택배기사분들의 업무 부담에 비하자면 아무것도 아닐 것이다. 가끔씩 일요일도 택배를 받거나 하는 경우들이 있을 텐데 이게 바로 그런 경우다. 그 날은 공식적으로는 쉬는 날이지만 일요일 어느 정도 물량을 빼지 않으면 본인 스스로 월요일 업무가 감당 안 될 정도로 많기 때문에 부득이하게 자의 반 타의 반으로 일요일에도 배송업무를 하는 것이다.

예전에도 그랬지만 특히 최근 온라인 스토어 업무의 비중이 커지면서 택배기사분들의 업무에 대해 생각해볼 기회가 많아졌다. 여러 가지 부당한 처사들도 많지만 (분류작업은 업무시간에 포함되지 않는다는 말도 안 되는 것들) 그 외에도 전체적으로 당일 발송, 새벽 배송, 로켓 배송 등 점점 더 속도전이 되어 버린 배송 시스템 자체에 대해 심각하게 고민해보는 일이 잦아졌다. 우리도 오후 3시까지의 주문은 당일 발송을 사실상 약속하고 있고, 고객 대부분의 만족 포인트가 빠른 배송과 안전한 포장일 정도로 빠른 배송은 우리의 강점 중 하나가 되었다. 그렇다 보니 나 역시도 그 포인트를 잃을 수 없어서 매일매일 이 속도전에서 퇴장하고 있지 못해 더더욱 이 택배 환경에 대한 고민이 많다.

하루쯤 더 기다릴 수 있지 않을까? 그렇게 기나리도록 운영해도 되지 않을까? 하는 생각은 있지만 빠른 배송이 이미 스토어의 가장 큰 장점 중 하나가 되어버린 상황에서 이걸 과연 포기할 수 있을지 솔직히 자신이 없고, 또 슬로우 라이프를 표방하며 당일 발송을 지양 한다한들, 실제 택배 환경과 사용자 인식 개선에 얼마나 영향을 끼칠 수 있을지 모르기 때문에, 좋은 이미지만 얻고 (그나마도 얻지 못할 수 있고) 실익은 전혀 없는 방향성이 되어 버릴 수 있어 이런 결정을 하는 것도 주저된다 (환경을 위해 매장 내 비닐봉지 사용을 금지하고 싶지만 못하고 있는 것도 같은 이유다).

올해, 아니 앞으로 마이페이보릿을 운영하면서 하고 싶은 소박하지만 담대한 일들 중 하나는 바로 이런 환경개선에 관한 것이다. 사용자가 주문하고 난 뒤 조금 더 여유를 가질 수 있는 환경, 사용자가 조금 더 불편해지기는 하지만 그 대신 그 불편함의 감수로 인해 누군가의 삶이 조금 더 여유를 갖게 되거나, 전체적인 시스템 자체가 더 건강해지는 결과를 서로가 확인할 수 있는 시스템으로 나아가는 데에 기여할 수 있는 브랜드가 되고 싶다. 조금씩 천천히 하나씩 시도해봐야겠다.

21. 작지만 큰 영역

하나라도 제대로 하는 게 나을까

　고민이 많다.

　처음 시네마스토어를 창업하기로 했을 땐 아직 아무도 제대로 하고 있지 않은 업종이라 참고할 만한 자료들이 없어서 막막함에 고민이 많았었다. 그래도 여기저기 국내외를 가리지 않고 자료조사를 열심히 한 결과 예상보다는 빠른 기간 내에 이 고민은 어느 정도 해소할 수 있었다. 하지만 시네마 스토어라는 카테고리의 브랜드를 운영하면 할수록 심해지는 고민은 역시 영역과 깊이에 관한 문제다.

　단순하게 생각하면 유행하는 소품샵이나 빈티지샵도 아니고 영화와 관련된 아이템으로만 한정된 스토어이니 비교적 그 바운더리가 좁아 심플하지 않을까 생각할 수 있을 텐데, 그렇게 만들 수도 있었겠지만 현재의 구성을 보자면 시네마 스토어라는 캐릭터는 변하지 않았음에도 그 안에 수많은 세부 영역을 포함하고 있는 탓에 보이지 않는 수많은 가게들과 경쟁 아닌 경쟁을 (어쩌면 나 홀로)하는 중이다.

일단 최근 가장 많이 판매하고 있는 바이닐(LP)을 필두로, 영화 포스터가 있고, 피규어도 있고, 도서도 있고, 각종 문구류 등 액세서리들도 있다. 이런 다양한 카테고리의 제품들이 영화라는 콘셉트 아래에 하나로 묶여 있기는 하지만, 다르게 보자면 각각 카테고리 별로 전문 스토어들과 겨루고 있는 셈이다. 이를 테면 최근 들어 레트로 붐과 함께 짧은 시간 내에 많은 온/오프라인 스토어들이 생긴 바이닐 시장을 보자. 자체 매출 내에서는 바이닐이 큰 비중을 현재 차지하고 있기는 하지만 전체 시장으로 보자면 수많은 바이닐 전문샵, 음반 전문 스토어들과 경쟁 중이다. 포스터 역시 오래전부터 영화 포스터만 전문적으로 판매해온 샵들이 몇 곳 존재하고 (대부분은 라이선스가 없이 고화질 프린터로 출력해 판매하는 불법 업체들이 많다), 피규어를 판매하는 전문샵이나 수많은 책방들은 말할 것도 없다.

이렇게 수많은 전문샵들과 비교를 하다 보니 우리는 결과적으로 콘셉트가 확실하기는 하지만 그들에 비해 얇고 넓은 깊이를 갖고 있는 정도다. 전문 바이닐 샵들에 비해 보유하고 있는 바이닐의 목록은 부족할 수 밖에는 없고, 피규어 역시 겉핥기 수준에 그치고 있으며, 포스터의 라인업도 전문샵에 비하자면 훨씬 적은 편이다. 그렇다 보니 매번 이런 전문 샵들의 규모나 퀄리티를 볼 때마다 적지 않은 스트레스와 자극을 받는다. 그 가운데는 더 할 수 있는데 여러 사정상 안 하고 있는 일들도 있고, 더 하고 싶은데 능력이 안돼서 못하는 일들도 많다. 물론 우리처럼 하나의 콘셉트로 운영하는 스토어가 각각의 전문 스토어들과 동일한 수준의 퀄리티를 모두 갖추려는 건 욕심일지도 모른다.

하지만 나는 운영자이기 전에 소비자로서 이 모든 영역을 일찍이 두루두루 이용한 경험이 있다 보니, 전문샵에 비해 깊이가 부족한 우리의 퀄리티에 매번 아쉬움이 남는다.

영화라는 콘셉트 아래 더 다양한 카테고리(제품군)로 넓혀 가는 방향을 선택할지, 아니면 현재의 카테고리들을 전문샵에 뒤지지 않는 퀄리티로 성장시키는 데에 힘을 쏟을지 고민이 많다. 물론 두 방향 모두 달성할 수 있을지 여부는 미지수지만, 방향성에 대해서는 머지않아 선택을 해야할 것 같다.

우리만 판매하는 독점 제품들, 혹은 모든 판매처들과 비교해도 가장 저렴한 가격으로 확보할 수 있는 능력 (시중에 최저가 상품들은 가장 저렴하게 제품을 수급했다기보다는 경쟁에서 이기기 위해 손해를 보며 판매하는 경우가 대부분이다. 이런 불가피한 능력 말고 진짜 능력), 구하기 힘든 제품들을 비교적 여유 있게 확보하는 능력 등.

아.... 이러면 사업이 커질 수밖에 없을 텐데, 내 본래 목표는 사업의 규모를 적당히 작은 규모로 유지하는 것이었고... 결국 올해는 이 딜레마를 해결하기 위한 첫 선택을 하는 한 해가 될 것 같다(되야겠다).

22. 강약 중강 약
모든 일에는 정도 조절이 필요해

우리 같이 재고를 보수적으로 가져가면서 온라인 재고 관리를 철저하게 하는 곳도 가끔씩은 재고가 맞지 않아 온라인 주문 고객에게 품절 안내를 해야만 하는 일이 생긴다.

분명히 재고가 있는 것으로 나와서 주문을 했는데 나중에 품절되었다는 연락을 받으면 누구라도 기분 좋을 고객은 없을 것이다. 물론 이런 일이 비일비재하게 일어나기는 하지만 그렇다고 해도 이런 상황에 판매자가 잘못이 없다고는 할 수 없다. 그래서 이런 경우 판매자가 상황 설명과 진지한 사과를 해야 하기도 하고.

며칠 전에 오랜만에 재고 오류로 품절이 되어 배송이 어려운 경우가 한 번 있었다. 평소처럼 상황 설명과 사과를 최대한 정성껏 안내드렸는데 돌아오는 대답이 조금은 충격적이었다.

'하나라도 보내주세요' (이 분은 같은 제품을 2장 주문

했다)

'평점 테러 계속 날릴 겁니다'

'마이페이보릿 망하는 거 지켜볼 겁니다'

조금 의미만 통하는 수준으로 바꿔 쓸까 했지만 정말 한 글자도 안 틀리고 저렇게 메시지를 받았다.

또 한 번 사과 메시지를 작성하던 나는 순간 키보드를 열심히 치던 손을 멈추고 잠시 생각했다. 그냥 사과의 메시지를 계속 남길지, 아니면 도가 지나치다고 나도 에너지 레벨을 함께 올릴지 등등. 바로 대응하는 것보다는 조금의 시간이라도 정리를 한 뒤 대응해야 할 것 같았다. 이런 경우 아무리 상대가 잘못했더라도 고객과 소비자의 입장은 동등하게 대화하기 어려운 것이 현실이기 때문에 대부분 사과를 거듭하는 것으로 마무리할 때가 많은데, 아무리 생각해도 이건 좀 심하다 싶었다. 그리고 무엇보다 이런 고객에게 계속 저자세로 사과를 해봐야 결국 더 큰 재앙으로 돌아올 것이 뻔했기 때문에 설령 일이 더 복잡해지더라도 그 보다 더 큰 화를 막기 위해 이쯤에서 마무리지어야겠다 싶었다.

그래서 '이렇게 악담을 하시면 어떤 판매자도 좋게 대응할 수가 없습니다. 나머지 주문건도 취소해드리도록 하겠습니다. 죄송합니다.' 라고 마무리하고 더 이상의 커뮤니케이션은 진행하지 않았다.

최근 인터넷에서 종종 보게 되는 씁쓸한 뉴스들이 있다. 배달 음식을 시켰는데 조금 늦었거나 혹은 무언가 작은 요구사항이 받아들여지지 않았거나, 더 나아가 본인이 잘못한 것은 모르고 무턱대고 배달원이나 판매자의 탓으로 돌리며 심한 욕과 인신공격 등을 일삼는 이들에 관한 뉴스 말이다. 기본적인 인성의 문제를 떠나서 이런 뉴스를 보면 '꼭 그렇게까지 해야 했을까?'라는 생각이 먼저 든다.

배달 음식이 조금 늦은 일이, 주문한 바이닐이 품절되어 못 받게 된 일이, 그렇게 저주를 퍼붓고 테러하겠다고 협박을 할 만큼 중요하고 분노할 만한 일이었을까? 그 정도로 자신의 삶에 큰 영향을 미치고 참을 수 없을 정도의 일이었는지 진심으로 궁금해진다.

분노는 할 수 있고, 짜증도 날 수 있다. 더군다나 어찌되었든 간에 겪지 않았을 수도 있는 불편을 겪게 된 것은 분명 화가 날 수도 있는 일이니까. 하지만 정도라는 게 있지 않을까? 모든 일에 강강으로만 반응한다면 삶이 피곤하고 금방 지치지 않을까? 약한 일에는 약한 정도로 대응하고, 정말 강하게 대응해야 할 때는 그에 맞는 강도로 대응하는 것이 사회는 물론 본인 스스로에게도 더 나은 일이 아닐까?

보통 이런 일을 겪으면 며칠이고 화가 나고 짜증이 쉽게 사라지지 않기 마련인데 이번에는 평소, 아니 살면서 거의 처음 듣게 된 수준의 악담이자 협박성 발언이었는데도 불구하고 화가 나기 보다는, 다들 조금 릴랙스하고 상황에 따라 강약 중강 약을 조절할 수 있었으면 하는 생각에 씁쓸함이 더 오래 남았다.

23. 책이 나왔다!

독립출판이라 더욱 뿌듯!

마치 긴 마라톤 레이스 같았던 여정이었다 (거창)

가끔은 긴 거리를 예상하며 느긋하게 페이스를 조절하기도 했고, 가끔은 너무 여유를 부리다가 페이스를 잃고 거의 걷다시피 한 구간도 있었으나, 마지막에는 늘 그렇듯 막판 스퍼트를 한 덕에 마치 '달려라 하니'의 마지막 장면에서 모두가 골인한 뒤 밤늦게 홀로 결승선을 통과했던 것처럼 늦기는 했지만 결국 완주에는 성공한 프로젝트가 됐다.

브런치를 통해 처음 마이페이보릿의 이야기를 시작했을 때부터 꼭 책으로 내야겠다는 계획이 있었다, 그것도 독립출판 형태로. 영화를 보고 나면 꼭 그 영화에 대한 글까지 마쳐야 영화 한 편에 대한 감상이 일단락되는 느낌이 있는 것처럼, 그 간의 일들을 책으로 엮고 나니 이제야 한 챕터를 제대로 마무리 한 느낌이다 (잘했어!)

아무래도 글을 써온지는 오래되었기 때문에 비교적 글쓰는 것에 대한 스트레스나 어려움은 덜한 편이었지만(물론 없지 않았다. 글을 책으로 낸다는 건 또 다른 부담감이 있는 일이어서 몇 번이고 다시 쓰고 수정하는 일을 거쳤다), 책을 만드는 일은 처음 해보는 일이기도 하고 전문 기술이 필요한 일이었기에 노력도 더 필요했고 부담도 더 됐다. 특히 주변에 아주 전문적으로 높은 수준의 책을 만드는 동료들이 있다 보니 아무리 혼자 처음 만드는 소규모의 독립출판이라고는 해도 부담이 될 수 밖에는 없었는데, 어느 순간 그 부담을 조금은 내려놨고 그래서 이 책이 나올 수 있었다. 내 장점이자 단점은 경쟁자 혹은 동료의 수준을 그 상대와는 무관하게 나 혼자 설정해서 혼자 자극받는 것인데, 편하게 생각하면 혼자 처음 만든 독립출판물 치고는 괜찮은 퀄리티로 볼 수 있지만, 심각하게(?) 생각하면 전문 출판사에서 나오는 책과 비교했을 때는 당연히 부족함이 있을 수 밖에는 없는 수준이라 만들면서도 끝까지 스트레스가 있긴 했다.

그렇다 보니 계속 이렇게 수정하다가는 끝내 책을 출판하지 못할 것 같아서 어느 정도 선에서 수정하는 것을 마무리하고 결국 이렇게 발간하게 됐다. 사실 계속 수정하던 것은 대부분 디자인의 영역이라 이건 어차피 전문 디자이너나 편집자의 영역이므로 단시간에 따라잡을 수는 없는 부분이라 수용하지 않을 수 없기도 했고.

그렇게 마이페이보릿의 롤러코스터 같은 첫 사계절을 담은 내 첫 책이 세상에 나왔다.

아, 책 제목은 마이페이보릿의 이야기를 담은 책 제목으로 거의 유일한 선택지였던 '필요해서가 아냐, 좋아하니까'다.

24. 하긴 그래, 쉬운 일이 아니었어

서점 입고가 더 어려울 줄이야

고대하던 책을 드디어 내고 나서 조금은 긴장이 풀렸던 탓일까. 분명 본래 목표는 책을 내는 것도 있지만 그 책을 내가 평소 좋아하던 여러 책방들에서 만나볼 수 있도록 입점시키는 것이었는데도, 조금은 방심했었나 보다. 서점에 입점하는 게 생각보다 쉽지 않다!

요즘은 독립출판물의 경우도 일일이 개별적으로 납본하지 않고 일종의 유통사가 있어서 이 곳에서 일정 수수료를 갖고 여러 독립서점들과 대형 도서몰까지 대신 입점을 진행해주는 서비스가 있는데, 나는 일단 몇몇 점찍어 둔 곳들을 중심으로 일일이 개별 연락하기로 했다.

그렇게 독립 서점들을 리스트업하고 일일이 입고 문의 메일을 보냈는데, 일단 대부분은 답장이 아예 없고 (못 본 것인가 거절인 것인가) 가장 기대했던 곳 한 곳은 정중히 검토하겠다는 메일을 받았으나 사실상 거절인 걸 알아챘고, 다행히 다른 세 곳은 바로 입점을 하기로 했다. 나는 어디서 그런 생각을 했는지는 모르지만, 아주 쉽게 입점이 이루어질 것이라고 막연히 생각했었던 것 같다. 입점 자체에 실패할 거란 생각은 전혀 안 했던 탓인지 그 단계는 뛰어넘고 다음 문제들에 대해서만 고민하고 있었다 (예를 들면 위탁으로 판매할까, 무조건 매입으로만 할까 등등). 그런데 바로 하루 만에 살짝 제동이 걸리고 나니 다시 한번 생각을 고쳐먹는 계기가 됐다.

그렇게 다시 생각해보니 대형서점들도 아니고 작은 규모의 책방일 경우 더더욱 도서를 입고시키는 것이 쉬운 일이 아닐 거라는 생각에 이제야 고개가 끄덕여졌다. 다른 사람도 아니고 내가 이걸 모르고 넘어갔다는 것이 조금은 부끄러울 정도로.

작은 규모의 독립 책방일 경우 더더욱 주인의 성격이 묻어나기 마련이다. 즉, 아무 책이나 입고, 판매하는 것이 아니라 책방 주인이 엄선하고 또 엄선한 책들만, 그것도 책방의 성격에 맞는 한에서 입고가 가능할 것이다. 공간의 크기는 정해져 있고, 무턱대고 전혀 다른 장르의 책을 받아서 팔 수도 없으며, 더 나아가 주인에 마음에 들지 않으면 굳이 (설령 엄청나게 잘 팔리는 책이라 하더라도) 입고시

킬 이유가 없다. 그런데 이걸 다른 사람도 아니고, 취향으로 범벅된 가게를 운영하고 있는 내가 미처 감안하지 못하고 그저 '입고는 당연히 되겠지'라고 생각했던 것이 부끄럽다. 최종적으로 입고가 되고 안되고를 떠나서 내가 이걸 간과했다니, 스스로에게 실망이다.

계획했던 서점들에 입고시키는 일은 그렇게 조금은 속도를 줄이게 되었지만, 다행스러운 건 출간하고 이제 2~3일 정도 지났을 뿐인데 예상보다는 많은 직접 판매가 이뤄지고 있다는 사실이다.

정말로 첫 출간 소식을 인스타그램에 올리고 나서 그날 저녁에 딱 한 권만이라도 주문이 있었으면 좋겠다 (한 권도 주문이 들어오지 않는 건 너무 서운하니까)싶었는데, 다행히 그것보다는 많은 주문이 들어왔고 그다음 날도 제법 끊이지 않고 소소하게 책 주문이 들어왔다. 물론 아주 많은 판매량은 아니지만, 정말로 기대치가 낮았던 것에 비하자면 충분히 만족스러운 성적이다.

이렇게 매일매일 소소한 재미가 하나 더 생겼다.
끝까지 재미로 즐길 수 있길 바라며!

25. 소속되고 싶나 자네?

나는 소속되고싶은 걸까?

    책을 내고 부지런히 평소 관심 있던 서점들에 입고 문의 메일을 보내는 중이다. 앞서 말했던 것처럼 예상과는 달리 모두 입점되고 있는 것은 아니기에 거절당하는 (혹은 정말 메일을 못 봤을 수도 있다는 일말의 미련...) 일도 종종 생겨나면서 저자로서 또 독립 출판을 한 작은 출판사로서 아주 조금씩 내성이 생겨나는 중이기도 하다.

    그렇게 서점들을 SNS를 통해 검색하고 조사하다 보니 작은 서점들, 독립 책방들은 여러 가지 형태로 연대하고 함께 프로젝트들도 진행하는 등 다양한 활동을 하고 있다는 걸 새삼 확인할 수 있었다. 전국의 작은 책방지기들이 만나 가볍게 이야기를 나누는 것부터, 함께 작은 마켓을 열어 서로가 선택한 독립출판물들을 판매하기도 하는 등, 생각보다는 작은 연대의 움직임들이 적지 않다는 걸 알 수 있었다.

    그러면서 자연스럽게 한 가지 질문이 오랜만에 다시 떠

올랐다.

'나는 어딘가에 소속되고 싶은 걸까?'

영화 굿즈샵을 창업하기 전부터 같은 업종의 동료나 선배 창업자가 없다 보니 그나마 가장 결이 비슷하다고 생각되는 독립 책방들에 동질감을 갖게 되었는데, 관심은 갖고 마음 한 켠에서는 동종업계라는 생각도 어느 정도 하고 있지만 막상 따지고 보면 우리는 서점이나 책방이라고는 볼 수 없기 때문에 (하지만 사업자등록증에 기재된 업종이나 업태로는 오히려 같다) 여기에 쉽사리 함께 하진 못했다.

마음 한 켠에서 동료라고 생각하고 있는 또 다른 분야는 영화 관련 굿즈를 생산하는 제작자 브랜드나 스튜디오들인데, 같은 업계라는 점에서 공통점이 많고 실제로 많은 공감대를 공유하고는 있지만 여기도 결정적인 순간엔 우리는 제작자가 아니기 때문에 또 주저하게 될 때가 많다. 물론 다 나 혼자 만의 생각이지만.

처음 군산에서 창업을 했다고 했을 때 다들 '아니, 서울에 사시다가 아무 연고도 없는 곳에서 어떻게 창업을 할 생각을 하셨어요. 대단하세요'라고들 했다. 사실 이 말을 들을 때마다 정말로 나는 '별로 대단하게 없는데...'라는 생각이 들었다. 물론 연고가 있어서 지인들에게 도움도 받고 의지도 하면 더 수월했을지도 모르지만, 어차피 업종의 특성상 혼자 해결해야 하는 부분이 많은 터라 큰 영향은 없지 않았을까 싶다. 그렇기 때문에 남들이 생각하는 것보다 아무 연고도 없는 군산에서 생전 처음, 그것도 생소한 가게를 창업하는 것은 그렇게 어렵거나 두렵지는 않았다.

그런데 요즘 들어 드는 생각이지만 어디에도 소속되지 않은 것 같다는 기분이 무언가 쓸쓸하긴 한 것 같다. 그에 따른 자유로움이 좋기는 하지만, 누군가가 함께 할 때 주저하게 되는 나를 보면 종종 쓸쓸하고 가끔은 어딘가에 소속되어 볼까 싶은 생각이 들기도 한다. 최근 책을 내면서 또 한 번 그런 생각이 들었다. 소소하지만 책을 낸 저자라는 이유만으로 어쩌면 드디어 평범한 소속감을 가질 수 있는 분야가 생긴 것만 같아서.

이제 독립출판 저자 모임에서 불러 준다면 주저 없이 나갈 겁니다.

26. 너무 멋진 곳들이 나를 재촉한다

오늘도 쫓기는 기분

IT 스타트업 회사를 다닐 때 신규 서비스를 기획하며 항상 했던 얘기가 있다.

'지금 우리가 처음이라고 생각한 이 아이디어는 분명 적지 않은 숫자의 다른 누군가(회사)가 동시에 떠올리고 있는 아이디어일 것이다'라는 것.

속도와 아이디어가 가장 중요한 IT 스타트업이어서 더 그런 측면이 있기는 하지만, 일반적으로 아주 새로운 것이라고 생각하는 대부분의 것들이 동종업계에서는 아주 유니크한 것이 아닐 확률이 높고, 트렌드라는 이름으로 이런 신박한 아이디어는 실제로 아주 여럿이 동시에 떠올리고 있으며, 결국 누가 더 빠르고 제대로 실행하느냐의 싸움이 되는 경우가 많다는 얘기다.

내 실제 경험에서도 그 당시 한참 업계에서는 맛집 어플, 가격비교, 소셜커머스 등이 막 붐이 일어나기 전 우리 회사도 이런 비슷한 서비스 아이디어가 많았고 실제로도 몇 가지는 실행에 옮기기도 했었는데, 바로 몇 달 사이에 지금 들어도 알만한 서비스들이 빠르게 론칭되어 금세 대세가 되는 일이 있었다. 그 즉슨, 시기 상으로 보았을 때 우리가 아직 세상에 없는 아이디어를 떠올렸다고 생각했을 땐, 아주 많은 비슷한 이들이 같은 아이디어를 동시에 떠올렸거나 이미 실행에 옮기고 있는 중이라고 보면 된다. IT 업계에서는 특히 이런 아이디어가 가장 중요하면서 위험하기도 한데, 유니크하다고 맹신하는 순간 평범해질 수 있다는 걸 알아채지 못하거나 속도전에서 뒤쳐질 수 있기 때문이다.

　왜 갑자기 예전 회사 시절 일을 끄집어냈나 하니, 요새 들어 부쩍 조만간 우리와 아주 같은 형태의 영화 굿즈샵이 생길지도 모르겠다, 아니 반드시 생기겠다 라는 생각이 들어서다. 물론 이 글을 쓰는 2021년 4월 현재 국내에 영화 굿즈샵 형태의 브랜드가 아주 없는 것은 아니지만, 성격이나 형태를 봤을 때 우리와는 조금은 차이가 있다고 볼 수 있는데, 아마도 머지않은 시간 내에 성격도 형태도 아주 유사한 브랜드가 생겨날 것 만 같은 불길한 예언을 하게 된다 (우리에게는 불길하지만 영화팬들에겐 물론 반가운 소식이겠지).

이전에도 자주 전국적으로, 특히 지방 도시에 아주 멋진 카페들이 생겨나는 것을 보며 '와, 카페 접길 잘했다'라고 생각했다는 얘기를 했었는데, 계속 더 멋진 카페들이 생겨나는 걸 보며 도저히 당해낼 수가 없었겠다는 생각이 들었기 때문이었다. 그런데 요즘에는 이런 멋진 가게들이 카페에 국한되지 않고 문화생활이라는 카테고리로 점점 좁혀 오기 시작하는 양상이고, 아마도 요 몇 년 사이 부쩍 늘어난 바이닐 샵과 같이 조만간 영화 관련 샵들도 생겨날 수 있겠다는 생각이 절로 들었다. 오늘도 인스타그램을 모니터링하다가 그동안 보던 가게들보다도 우리와 아주 유사성이 높은 (물론 영화 굿즈샵은 다행히(?) 아니지만) 가게를 발견하게 되었는데, 솔직히 너무 멋져서 닮고 싶은 생각이 드는 동시에 무언가 쫓기는 듯한 느낌이 들었다. 그리고 이 가게도 서울이 아닌 지방에 위치한 가게였다.

사실 지금 군산에 자리 잡은 마이페이보릿 오프라인 매장은 건물이나 내부 인테리어가 내 취향이 100% 반영된 결과물은 아니다. 이미 1차 리모델링을 마친 건물을 보고 마음에 들어서, 이 도시엔 이런 건물이 잘 어울리고 이런 스타일도 한 번 해보고 싶다는 생각에 선택하게 된 공간이었는데, 물론 그 결과는 지금도 만족하고 있지만 그보다는 노하우가 없던 시절 예상만으로 구상한 공간이기에 실제 운영을 하면서 내부 공간 기획에 대해 아쉬운 점들이 하나씩 늘어났고, 처음부터 더 높은 완성도로 공간 기획을 할 수 있는 지금, 새로운 공간에 대한 꿈이 더 커져가고 있다.

지난 2년 반 넘는 시간 동안 꾸준히 가게 공간을 조금씩 변형시켜왔다면 이제는 대대적인 리뉴얼 혹은 아예 새로운 공간에서의 시작이 필요한 시점에 달했는지도 모르겠다. 아니 어쩌면 대대적인 리뉴얼과 새로운 공간에서의 시작이 별개로 이뤄질지도 모르겠고. 지난 2년 간은 단기적인 생존 자체가 가장 큰 고민거리였다면, 햇수로 3년 차가 되는 시점부터는 장기적인 생존과 그에 따라 한 발 더 나아가는 계획이 주된 고민거리다.

(추신, 아니 중요사항) 혹시 이 글을 돈 많은 독지가 분이 보고 있다면 지금이라도 늦지 않았으니 연락 주세요. 따지고 보면 귀하가 가진 재산 가운데 그리 많은 돈이 필요하지도 않을 겁니다. 하지만 그 적은 돈으로 훨씬 큰 가치를 만들 수 있는 저희에게 투자하세요. 절대 실망시켜 드리지 않겠습니다.

이런 희망을 품고 오늘도 잠이 듭니다.

(아직, 연락이 없군요. 늦지 않았습니다. 언제나 연락 기다립니다. – 2023년의 나로 부터)

27. 재주문

1년은 걸릴 줄 알았지

첫 책을 내고 정신없이 한 달이 흘렀다. 천천히 하나씩 입고하게 된 독립서점들은 오늘까지 열여섯 곳이 되었고, 서울과 지방 여러 곳까지 지역도 다양하다 (아직 제주도 독립서점에 입고를 못했다). 대부분 내가 연락해 입고를 문의하게 된 경우지만 몇몇 곳은 먼저 연락을 주셔서 감사하게도 책을 소개할 수 있었다.

여러 서점에 내 책을 보낸 마음은 흡사 자식을 보낸 부모 마음과 크게 다르지 않았다. 각 서점의 인스타그램 개정을 틈틈이 확인하며 내 책에 대한 소개가 언제 올라올지 두근거리며 기다리기도 하고, 글이 올라오면 반응이 어떤지도 세심하게 살피게 되더라. 그렇게 내 책은 한 달 사이에 기대보다는 비교적 널리 뻗어 나갔다.

그렇지만 여러 곳에 소개된 것과는 달리 그만큼 판매될 것이라고는 결코 기대하지 않았다. 솔직히 이 책을 내서 수익을 얻겠다는 생각은 별로 없었고, 개인적인 목표 달성과

더불어 마이페이보릿을 조금 더 홍보할 수 있는 기회가 된다면 좋겠다는 생각뿐이었다. 많이 판매된다면 물론 좋겠지만 그냥 여러 곳에서 미지의 독자들을 스치듯 만날 수 있는 것만으로도 목적 달성은 충분하다 싶었다. 오히려 요즘처럼 수많은 독립출판물이 쏟아지는 시대에 금세 진열대에서 도태되어 구석으로 밀려나지만 않았으면, 아니 천천히 밀려났으면 하는 게 솔직한 심정이었다. 그래서 한 1년쯤 지났을 때 서점에서 '너무 판매가 되지 않아 반품을 요청드리려고 합니다' 라던지, 거의 1년 만에 첫 정산 메일을 받게 되는 걸 기대(?)하고 있었다.

그런데 오늘 입고했던 서울의 한 서점에서 놀랍게도 재주문 메일이 왔다. 그것도 10권이나! 전혀 기대하지 않았던 일이라 어안이 벙벙할 정도로, 너무 빠른 타이밍에 재주문이었다. 그 소식을 들은 아내는 처음 책이 나왔을 때 보다 더 기뻐하는 것 같았다. 나는 진짜 쉽게 들뜨지 않는 성격이라 덤덤한 편이었고. 사실 정말 기대하지 않았던 일이라 실감이 잘 안 났다.

한 달만에 재주문이라니 적어도 1년은 걸릴 줄 알았는데 말이다. 그 덕에 첫 독립출판물 치고는 적지 않은 수량

이었던 초판 물량도 이제 거의 소진 직전이다. 이러다 중쇄
도 곧 찍겠네 그려.

28. 새로운 생명
뒷마당식구가 더 늘었다

가게 뒷마당에서 밥을 챙겨 먹이던 고양이 월명이.

월명이는 어느 날 새끼 두 마리를 낳고는 우리 뒷마당을 새끼들에게 남겨주고 훌쩍 떠나버렸다. 가끔 밥을 먹으러 오기도 했지만 확실히 이 영역을 새끼들에게 넘겨준 것 같았다. 월명이에게 그랬던 것처럼 두 마리 새끼들의 밥을 챙겨준지도 제법 시간이 흘렀다. 아직도 우리는 이 두 마리를 월명이 새끼들이라고 부를 정도로 아직 애기들로만 느껴지는데, 언제부턴가 그중 한 마리의 배가 불러왔다. 요 며칠 조금 이상한 소리를 내기는 했지만 아직 배가 많이 부르지 않은 탓에 큰 걱정은 없었는데, 어제 아침 출근을 하고 보니 이미 네 마리의 새끼 고양이를 낳은 뒤였다.

하필이면 어제 아침부터 강한 비가 내렸다. 그리고 또 하필이면 월요일은 쉬는 날이라 우리가 바로 아침부터 가게에 출근하지 않고 점심이 지나서야 왔던 터였다. 왜 하필이냐면, 우리가 처음 이 녀석과 새끼들을 발견했을 땐 이미 한 마리의 새끼 고양이가 미처 삶을 시작도 하지 못한 채

죽어 있었기 때문이다. 여러 마리의 새끼를 낳게 되면 자주 빠른 시간 내에 어미 젖을 찾지 못하거나 무리에서 조금 떨어질 경우 태어나자마자 죽는 경우가 있는데, 이번에도 그랬던 것 같다. 다만 너무 아쉬웠던 건 만약 우리가 평소처럼 조금 더 일찍 가게에 나왔더라면, 그래서 조금 더 빨리 발견했더라면 이 생명을 살릴 수 있지 않았을까 싶을 정도로 아직 그 작은 몸은 그리 차갑게 굳은 상태가 아니었다. 비가 오는 날씨만 아니었더라도 살아남을 수 있지 않았을까 싶은데, 궂은 날씨와 늦은 발견이 몹시 미안해졌다.

그렇게 작은 박스 안에서 새끼들을 낳은 녀석을 잘 달래서 비를 맞지 않는 고양이 집에 이불을 깔고 새끼들을 옮긴 뒤, 밥을 챙겨주고 옮긴 집으로 녀석을 유도했다. 다행히 잘 따라준 덕에 새끼들도 좀 더 따뜻하고 안전한 공간으로 잘 옮길 수 있었다. 어미와 떨어져 독립한 지 이제 채 1년도 되지 않은 아직 어린 냥이인데, 첫 출산이 얼마나 무섭고 놀랐을지 그 표정에서 그대로 느껴졌다. 그래도 밥도 잘 챙겨 먹고 우리를 믿고 잘 따라준 덕에 조금씩 안정되가는 것 같았다.

우리 가게 뒷마당은 은근히 동네 고양이들의 핫플레이

스라 (인적이 드물고 사료와 물이 제공됨) 여러 마리가 주기적으로 출몰한다. 그래서 최대한 자주 방문하는 고양이들이 새끼들과 직접적으로 맞닥뜨리지 않도록 동선을 만들었는데, 다행히 아직까지 큰 사고는 발생하지 않았다. 뒷마당으로도 CCTV가 있어서 퇴근하고도 수시로 모니터링 중이다.

이 어린 생명들은 또 어떤 고양이로 자라나게 될까. 부디 남은 세 마리는 모두 건강하게 자라길 바란다. 왠지 어깨가 더 무거워진 느낌이다.

아이고 어린 녀석이 혼자 세 마리나
낳다니, 정말 고생이 많았다 ㅠㅠ

29. 새로고침 중독자

흡사 휴머노이드

나는 지독한 새로고침 중독자다.

언제부터였는지는 모르겠지만 모니터링이라는 이름 하에 한 번에 여러 가지 일을 동시에 하는, 이른바 멀티태스킹에 남들보다 특출 난 재능이 있는 편이다. 예전 회사 다닐 때 운영하던 서비스의 사용자 후기나 이슈, 불만 등을 모니터링하는 업무를 오랜 기간 했는데, 정말 어떤 동료는 휴먼 봇이라고 불렀을 정도로 100% 수작업 인력이었음에도 거의 자동화 시스템의 속도와 유사한 수준이었다. 물론 어떤 검색어로 검색을 해야 하는 지도 남들과 큰 차이점이 발생하는 지점이었지만, 결과적으로는 지독한 새로고침 때문이었다. 루틴처럼 같은 사이클을 지속적으로 반복하는 행위.

모니터링이라는 측면에서 새로고침 중독은 장점이 될 수도 있지만, 감정노동이나 스트레스의 측면에서는 분명한 단점이다. 남들보다 빨리 발견한다는 것은 빠르게 문제를 해결할 수 있는 기회가 되는 동시에, 가장 빨리 그리고 먼저 스트레스를 직접적으로 당하게 되기 때문이다.

나는 정말 가슴에 손을 얹고 회사 생활을 할 때 항상 내 일처럼 생각하고 임해왔는데, 그럼에도 자영업을 해보니 진짜 내 일을 하는 것과는 차이가 있더라. 회사의 서비스에 대한 불만이나 비난도 물론 엄청난 스트레스를 받지만 마인드를 잘 세팅하면 (이를테면 내 일인 동시에 내 일이 아니다 라는 세팅) 직접적으로 스트레스를 받지 않고 제삼자의 입장이 되어 효과적으로 처리할 수 있다. 하지만 회사라는 공통의 울타리가 없는 자영업은 아무리 마인드를 임의로 세팅하려고 수작을 부려봐도, 직접적인 스트레스를 피할 수가 없더라.

이런 스트레스의 연장선에서 벗어나는 유일한 방법은 정해진 근무시간 외에는 일을 어지간하면 들여다보지 않는 것이다. 그런데 지독한 새로고침 중독자인 나는 이렇게 하고 싶어도 못하는 사람이다 (정말 하고 싶다). 집에 와서도 수시로 휴대폰으로 몇 가지 앱과 사이트를 반복적으로 방문하며 새로고침 하는 탓에, 직접적으로 업무를 하지는 않지만 심리상태는 언제나 업무 모드다.

간혹 어떤 시스템은 자동으로 몇 분 이내에는 새로고침이 되지 않는 경우가 있다. 그렇게 무언가 외부의 강제적인 금지가 있어야만 이 중독에서 벗어날 수 있을 것 같다. 지금 이 글을 쓰는 중간중간에도 업무와 관련된 사이트 몇 군데를 접속해 새로 고침 버튼을 클릭했다. 무엇이든 중독은 좋지 않다. 설령 그것이 업무 효율성을 높인다 하더라도, 이 중독을 끊고 싶다.

30. 하마터면
큰일 날뻔했지 뭐야

조금 특별한 가게를 지방에서 운영하다 보니 종종 인터뷰 대상이 될 때가 있다. 그때마다 자주 듣게 되는 질문 중 하나가 '가게를 운영하면서 가장 신경 쓰는 것이 무엇인가요?' '가장 어려운 점은 무엇인가요?' 같은 질문이다.

그 질문엔 주로 '제가 좋아하는 것과 남들이 좋아하는 것 사이에서 적절히 균형을 잡으려고 해요'라고 답하거나, '제가 좋아하는 것들로만 채워나가려고 해요'라고 답한다. 후자는 좀 더 초심에 가깝고, 전자는 좀 더 현실적인 측면이 반영된 대답이다.

이런 가게 운영의 중요한 기준점이 크게 달라지지는 않았지만, 요즘 들어 종종 흔들릴 때가 있다. 처음엔 영화 굿 즈샵으로 컨셉에 맞는 제품들을 판매하면서 영화 음악들로만 바이닐(LP)을 취급했다. 그러다가 아주 조금 내 취향이 적극 반영된 OST 외 다른 장르의 바이닐들도 판매하기 시작했다. 그러는 와중에 온라인 판매를 시작하고 바이닐 판매의 비중이 늘어가면서 점차 조금씩 장르를 확장하기 시작했고, 몇 달 전부터는 근래 꾸준히 발매되고 있는 가요 앨범들도 조금씩 취급하기 시작했다.

물론 아직까지도 영화음악의 비중이 절대적으로 높고, 다른 장르 앨범들도 내 취향의 음악들에서 벗어나는 일은 거의 없다.

본격적으로 이야기하기 전에 국내 LP 시장에 대해 간략하게 언급할 필요가 있겠다. 전체적으로 시장의 규모나 제작사의 수요 예측이 면밀하게 돌아가지 않다 보니, 대부분의 소매점은 발매를 몇 달이나 앞둔 상태에서 미리 수량을 예측해 주문 해야 될 때가 많다 (대부분이다). 어떤 앨범은 수요에 비해 공급량이 턱없이 부족해서 미리 주문한 수량조차 부족하게 입고될 때도 있고, 어떤 앨범은 적은 수량의 한정반으로 기획됐으나 발매 후에도 한참이나 시장에 남아 있기도 한다. 이렇게 불확실성이 높고 몇 달이나 전에 주문 수량을 확정해야 하는 것에 반해, 반품 불가 조건이 대부분이라 위험도는 더 높아진다.

이렇게 몇 달 전에 하는 대략적 판매량 예측은 맞을 때도 있고 틀릴 때도 있다. 아직도 보수적으로 주문하는 편이라 실패를 하는 경우는 그리 많지 않지만, 그만큼 한 번의 실패 (쌓이는 재고)는 큰 손해가 된다. 최근 들어 이런 식의 주문을 해야 하는 일이 점점 더 많아지고 있는데, 그만큼 더 압박이 느껴진다. 그리고 그 압박과 정반대로 항상 달콤한 유혹에도 흔들린다. 앞서 말했던 것처럼 어떤 앨범은 더 많은 수량을 확보하는 것 자체로 엄청난 경쟁력이 되기 때문에 더 많은 수량을 이른바 '땡긴'다면 발매 뒤 많은 판매를 기대할 수 있기 때문이다.

'이건 좀 애매한데..'라며 적은 수량만 주문했던 앨범이 모두가 구하고 싶어 하는 앨범이 되어 너무 적은 수량만 주문했던 걸 후회하는 일도 있었고, 야심 차게 평소보다 훨씬 많은 수량을 주문했으나 너무 기대 이하의 판매라 낙담했던 적도 있다. 요새 이런 일들이 비일비재하게 벌어지고 있다.

이런 일련의 일을 겪으며 좀 더 뚜렷해진 점이 하나 있다. 바로 내가 가게를 운영하며 자주 강조했던 '좋아하는 것' 즉 취향에 관한 것이다. 앞서 이야기했던 것처럼 수요 예측이야 정도의 차이는 있겠지만 맞을 수도 틀릴 수도 있다. 그렇다면 예측이 틀렸을 때, 그래서 많은 재고를 떠 앉게 되었을 때 어떻게 해결할 수 있는가가 중요한 이슈로 남게 된다.

이 지점에서 취향이 중요해진다. 단순히 잘 팔릴 것을 예상해 주문했으나 그렇지 않았을 경우엔 가격을 할인하거나 특별한 판매 기회를 기다리는 것 외에는 사실 마땅한 방법이 없다. 하지만 동일하게 수량 예측이 빗나가 많은 재고를 떠 앉게 되었을 때도, 만약 잘 팔릴 것만을 예상해 주문한 것이 아니라 내가 정말 좋아하는 앨범, 이 가게의 컨셉에 정확히 맞는 앨범이라면 얘기가 달라진다. 이런 제품은 설령 당장 많은 판매를 기록하긴 어려울지 몰라도 반드시 다 팔 수 있다는 자신감이 있다. 내가 좋아하는 앨범(제품)이기 때문에 다른 사람을 충분히 설득할 수 있다는 자신감, 더 나아가 설득하고 싶다는 (왜 이 좋은 걸 몰라!) 욕망이 꿈틀댄다. 그렇기 때문에 이렇게 좋아하는 제품들은 설령 재고가 많아지더라도 큰 걱정이 되지 않는다. 내가 마음만 먹으면 설득할 만한 자신도 있고, 설득하기 위해 동원할 수 있는 능력(애정)도 넘쳐나기 때문이다.

요 근래 아주 조금 취향을 벗어나거나 잘 판매될 것만

을 예상해 주문했던 LP들 중 몇몇의 판매가 부진한 걸 보고 이렇게 한 번 더 되돌아보게 됐다.

그래, 내가 좋아하는 것이 기준이지. 하마터면 초심을 잃을 뻔했지 뭐야.

31. 적당히 하려면 더 나아가야 해

이제는 더 미룰 수가 없나 봐

온라인과 오프라인 매출이 어느 정도 안정되면서부터 일일 목표치를 기준으로 설정한 월 매출액이 있다. 하루에 온/오프라인 합쳐서 이 정도 매출이면 스스로 '괜찮다'라고 정해둔 것인데, 올해 초부터 온라인 매출이 오르면서 월 매출 기준을 조금 올리기는 했지만 심리적 마지노선은 이 기준점으로 유지하고 있다.

가끔 온라인 매출이 특별한 이유 없이 확 떨어지기도 하고, 가끔은 매장 매출이 처참하게 깨지기도 하지만 서로 어느 정도 보완하면서 일 평균 목표 매출액은 대부분 달성하곤 했다. 정말 온라인 매출이 너무 형편없을 정도로 떨어져 당황스러울 때가 몇 번 있었는데, 정말 기적적으로 매장 매출이 높아 평균치를 맞출 때도 있었다.

그렇게 서로 도움을(?) 주고받으며 하루하루 평균적인 나날을 보내고 있었다. 그런데 어제는 무려 가장 높은 매장 매출이 기대되는 토요일이었음에도 오프라인 매출이 평일 수준에 그치고 말았다. 손님이 특별히 적게 온 것도 아니었으나 그 대부분이 구경만 하고 사지 않은 결과였다. 오늘 아침 일어나자마자 온라인 매출을 확인해보았는데 온라인도 역대 최저 하루 매출을 기록하고야 말았다. 둘이 서로 보완해가며 평균치를 만들어가던 중이었는데, 둘이 모두 최악의 컨디션을 보이며 최저 기록을 냈다.

이럴 수도 있고 저럴 수도 있고. 잘될 때도 있고, 안될 때도 있고. 이걸 매일 같이 가슴에 새기며 일하고 있는데 잘될 때는 비교적 너무 들뜨지 않는 것에 성공하는 편이지만, 안될 때는 그게 그렇게 쉽지만은 않다. 평소보다 잘될 때는 그저 올라가는 입꼬리를 조심만하면 되지만, 안될 때는 곧 직접적인 위험이 될 수 있다는 걸 알기에 마인드 컨트롤을 하는 것 만으로는 부족하기 때문이다.

요즘 들어 그런 생각을 자주 한다. 3년 차에 접어들면서부터, 이제는 더 확장하고 마케팅하고 적극적이 되지 않으면 현상유지도 힘들다는 생각. 무언가를 더 하지 않으면 그저 더 잘되지 않는 수준이 아니라 120%, 150%의 추가적인 노력들을 해야만 그나마 현상유지라도 가능한 구조가 되었다는 점이다.

여러 가지 측면에서 이런 생각을 하게 만드는 순간들이 점점 늘어가고 있다. 다시 말해 '엄청 잘되고 싶은 것이 아니라 근근이 하고 싶더라도 이제는 훨씬 더 많은 노력이 필요해'라는 말이 어디선가 계속 들려온다.

그래, 이젠 적당히 하려면 더 나아가야만 한다.

32. 마이너리티 리포트

당신은 몰라도 나는 압니다. 진짜에요.

처음엔 그저 운이겠거니 싶었다.

그다음엔 그냥 감이 좋은 정도라고 여겼다. 시간이 더 흐른 뒤에는 이건 공식으로 정해도 되겠다 싶었다. 이제 곧 오프라인 매장 운영 3주년을 앞둔 지금, 이건 과학이라고 해야겠다. 그럴 일은 없지만 내가 만약 논문을 발표할 일이 있다면 이걸 세상에 발표하고 싶다. 정확한 데이터와 함께.

예전에도 한 번 이야기 꺼낸 적이 있는데 손님들 반응의 관한 이야기다. 너무 예상과 달라 누군가 이렇게 말한다면 너무 과장이 심하다고 코웃음 칠만한 이야기. 그래서 구체적인 데이터와 함께 증명을 해야만 할 것 같은 이야기. 정말 이런 걸 처음 썼을 때부터라도 노트에다가 바를 정자로 데이터를 쌓아둘걸 그랬다 (아카이브의 힘!). 이런 과학적 데이터는 없지만 그저 감으로 하는 이야기가 아니라는 걸 부디 믿어주시길.

너무 좋아한다는 감정을 적극적으로 표현하는 손님일

수록 정반대로 구매는 하지 않는다는 이야기는, 매장을 운영하며 초반에 알게 된 의외의 사실이었다.

'와!' '완전 내 스타일이야!' '내 인생영화야' '꺄악!' '이건 진짜 사야 돼' '와 천국이야' '다 가져가고 싶어' 등등 등등등. 환호가 커질수록 나는 일찌감치 마음을 접게 된 지 오래다. 아주 가끔 '혹시...' 하는 마음을 가질 때도 있지만, 결론은 역시가 99%다. 그만큼 이건 아마 바를 정자로 기록했더라도, 아니 기록했더라면 아카이브 된 구체적 사실에 더 놀라지 않았을까 싶을 정도로 명백한 과학적 사실이다.

그렇게 단단하게 단련된 마음을 갖고 있는 내게도 오늘 왔던 어떤 손님 무리는 살짝 혼란스러웠다. 아니, 그렇다기보다 이제는 이 과학적 사실을 과연 깰 사람이 누구일지, 손님들은 모르게 나 홀로 챌린지를 하는 기분이다. 제발 누군가가 이 불변의 법칙을 깨주기를 바라는 마음은 흡사 성배의 주인을 오랜 세월 기다린 〈인디아나 존스 : 최후의 성전〉의 등장하는 늙은 십자군 기사와 같다. 언젠간 나타나주길 바라며 시름시름 늙어가는.... (안돼). 만약 누군가가 이런 호감의 환호성을 지른 뒤에 구매까지 연결되는 날이

온다면, '오랜 세월 당신을 기다려왔습니다. 드디어 오셨군요'라고 말할 수 있을까.

하지만 현실은 마이너리티 리포트에 가깝다. 너무 좋아하는 손님에게 이렇게 말하는 날이 올지도 모르겠다.

'손님, 본인은 모르시겠지만 당신은 구매하지 않을 확률이 99%로 예측되었습니다. 지금 바로 나가셔도 괜찮습니다'라고.

물론 구경하시는 건 좋지만, 이런 분들만 너무 많은 날엔 단단한 마음을 가진 저도 다소 지친답니다. 좋아하는 마음을 돈으로 보여주세요!

너무 노골적인 자영업자의 넋두리였다.

33. 중쇄를 찍자

석달 만에 2쇄라니!

마츠다 나오코의 만화를 원작으로, 쿠로키 하루, 오다기리 조, 사카구치 켄타로 등이 출연한 동명의 일본 드라마 '중쇄를 찍자'를 재밌게 봤을 때만 해도 몰랐다. 내가 출판은 물론이고 중쇄를 찍게 될 줄은. 만약 지금 이 드라마를 처음 보는 거였다면 아마 '중쇄'라는 것의 의미를 더 크고 깊게 받아들였을지도 모르겠다. 드라마를 본 지 몇 년이 지나기는 했지만 그래도 어렴풋이 그 의미가 떠오른다. 이제는 조금 더 내 이야기가 된 채로.

어느 정도 기준점이 있는 기성 출판과는 달리 내 마음대로 제작부수를 정할 수 있는 독립출판물의 중쇄는 그 의미가 크지 않을지도 모르겠다. 하지만 '뭐 천천히 두고두고 팔지 뭐'라는 생각으로 아주 조금 많은 부수를 찍었던 것을 감안한다면, 이렇게 단 시간 내에 2쇄를 찍게 될 줄은 정말 기대하지 않았다. 그보다 우려했던 건 나중에 서점들에서 오래 판매가 되지 않아 반품이 너무 많이 돌아오면 어쩌나 하는 걱정이었다. 그런데 초판을 찍은 지 약 3개월 만에

2쇄 제작을 하게 됐다. 기성 출판물의 부수와는 비교할 수 없을 정도로 적은 부수겠지만, 내게는 아주 반갑고 큰 의미가 있는 사건이다.

우리 스토어에서도 제법 많이 판매되었지만 무엇보다 고무적인 건, 여러 독립서점들에서 적은 수량이라도 꾸준히 판매되고 있다는 점이다. 나도 다른 출판사가 만든 여러 독립출판물들을 직접 위탁 판매하는 입장이라 너무 잘 알고 있다. 한 곳의 서점에서 한 달에 한 두 권이라도 판매되는 것이 얼마나 보람되고, 또 쉽지 않은 일인지 말이다. 그렇기 때문에 가끔씩 정산을 알리는 메일이나 입금 알림이 올 때면 그 금액에 상관없이 반갑기만 하다. 수많은 미지의 선택지 가운데 내 책이 선택되는 것이 얼마나 감사한 일인지, 그 좁은 확률을 너무나 잘 알기 때문이다.

그렇게 기대하지 않았던 '필요해서가 아냐, 좋아하니까' 2쇄가 오늘 도착했다. 2쇄를 맞아 표지 디자인을 아주 살짝 수정했고, 뒷부분에 2쇄 날짜도 기입했다. 2쇄는 1쇄보다 적은 부수를 찍은 탓에 혹시 달성할 수 있을지도 모르겠지만 3 쇄도 가능할까 싶다. 중쇄 소식에 곁들여 얼마 전에 이 책과 관련된 재미있는 프로젝트를 하나 마쳤는데, 이건 정말 책을 내면서 이런 일들이 있겠다 (있었으면 좋겠다) 싶었던 여러 가지 일 중에서도 전혀 예상할 수 없었던 일이라 아직도 좀 얼떨떨한 일이 있었다. 그 소식도 곧 결과물과 함께 전할 수 있기를 바라며. 2쇄도 잘 부탁드립니다.

표지가 살짝 바뀐 2쇄 버전!

34. 고마워요, 상순 씨

김동률보다 더!

갑자기 고백하자면 나는 이효리의 오랜 팬이다. 핑클 1집 데뷔곡 '블루레인'이 나왔을 때부터 일편단심 좋아하기 시작했다. 여자 연예인을 좋아한 경우가 그리 많지 않았고 특히 이렇게 오래 변심 없이 좋아한 이가 없었기 때문에 학창 시절에도 내 효리 사랑은 주변에서 제법 알아주는 편이었다. 막간을 통해 추가 고백을 하자면, 아이돌이었던 그녀가 나이가 들어 더 좋아하길 잘했다고 느껴지는 사람으로 있어주어서 얼마나 고마운지 모른다.

이효리만큼은 아니지만 지누와 조원선, 이상순으로 구성된 밴드 롤러코스터도 오랜 팬이다. 당시는 물론 지금까지도 롤러코스터 같은 음악을 하는 밴드는 거의 없었던 것 같다. 모든 앨범을 소장하고 있을 정도로 팬인데, 혹시라도 아직 롤러코스터의 음악을 들어보지 못한 이들이 있다면 꼭 앨범 단위로 들어보길 적극 권한다.

이젠 다 지난 일이지만 이효리가 처음 이상순과 결혼한

다고 했을 때 적지 않은 충격이 있었다. 그 충격으로 한 동안은 롤러코스터의 음악을 멀리했다 (할 수 밖에는 없었다). 지금이야 다른 사람이 아닌 이상순과 결혼한 것이 더 잘된 일(?)이라고까지 생각되지만, 그때 당시엔 그랬다. 팬심이 그렇지.

이렇게 한참이나 이상순의 이야기를 거슬러 올라간 이유는 요 며칠 그가 우리에게 아주 직접적인 도움이 되었기 때문이다. 평소 즐겨보는 유키즈에 이상순이 출연했는데, 인터뷰 중에 동료인 김동률에 관한 이야기가 나왔다. 그리고 끝나갈 쯤에 '최근에 리마스터링 한 앨범이 LP로 나왔는데 동률 씨는 워낙 완벽주의 성격이라 얼마나 신경 썼을지 들으면서 느껴지더라고요' 뭐 이런 식의 코멘트가 있었다.

나도 TV를 보고 '음.. 맞아 이번 LP가 좋았지..(끄덕끄덕)'하며 새로고침 중독자 답게 한 손으로는 앱을 실행시켜서 스마트 스토어 주문을 확인했는데 바로 우리가 판매 중인 김동률 '답장' 앨범이 연달아 주문이 들어오고 있었다. 방송이 끝나고 조금 후까지 주문은 이어졌는데 폭발적인 주문은 아니었지만 그동안 별다른 이슈가 없어서 거의 주문이 없던 앨범인 걸 감안하면 방송 때문이라고 밖에는 설명할 수 없는 주문이었다.

그리고 더 늦은 시간에 바로 재방송하는 걸 우연히 보게 됐는데 또 그 시간에 맞춰 주문이 들어왔다. 그걸 보고는 농담 삼아 '재방송할 때마다 한 두 장씩 주문 들어오는 거 아니야?' 했는데, 정말로 그랬다. 그다음 날도, 그다음 날도, 그 다다음날 까지도. 케이블에서 재방송을 할 때마다 이상순의 이 코멘트를 인상 깊게 본 이들로 인해 1~2명씩 꼭 주문이 들어왔다.

우리 같이 작은 변방의 스토어에도 이렇게 방송에서 스치듯 언급한 제품의 판매가 갑자기 늘어나는데, 본격적인 PPL을 하는 제품들은 얼마나 많은 (감당하기 어려운 수준의) 주문이 발생할까 생각하니 눈앞이 끔찍했다.

아직도 가끔 무슨 이유인지 주문이 갑자기 몰릴 때면 기분이 좋기보다는 두려움이 더 앞선다. 감당할 만한 정도만 잘됐으면 하는 게 아직까지는 희망사항이기 때문이다 (물론 그 감당할 만한 수준을 계속 높여가고 있다).

이 메시지가 그에게까지 전달되지는 않겠지만 그래도

고맙다는 인사는 해야겠다 싶었다.

　고마워요, 상순 씨!

　언제 한 번 가게에 놀러 오세요. 그리고 또 방송 출연 하
시게 되면 스치듯 말해주세요.

　(군산에 마이페이보릿이라는 가게가 있는데....)

　서울에도 생겼어요!

35. 마이, 페이, 보리

이름이 생겼다

지난 5월 10일 태어난 뒷마당의 새끼 고양이 세 마리. 그동안 큰 문제없이 잘 크고 있었는데 얼마 전부터 두 녀석에게 심상치 않은 문제가 생겼다. 아주 어린 새끼 고양이들에게 잘 걸리는 병인데, 눈물이 진물처럼 고이고 감기에 걸린 듯 기침도 하는 등 증세가 보였다. 세 마리 중에 두 마리에게 증세가 나타났는데, 한 마리는 둘째로 예상되는 오드아이의 하얀 녀석이고 다른 녀석은 막내로 예상되는 검고 흰 녀석이다.

매일매일 출근해서 눈물과 얼굴을 닦아주기는 했지만요 며칠 장마로 인해 계속 습한 날씨가 계속된 것이 독이 된 듯했다. 약을 한 번 타서 먹이긴 했는데 바로 좋아졌다가, 장마로 인해 며칠 컨디션이 좋지 않았더니 바로 또 증세가 심해졌다. 결국 병원에 데리고 가서 처방을 받고 다시 약을 먹이고 있는데, 결국 이 병은 다른 약이 있는 것이 아니라 잘 먹고 컨디션이 좋아지면 자연스럽게 낫는 병이라 관리가 중요하다.

특히 막내인 검은 아이가 다른 형제들보다 벌써 몸집도 차이나고 현저하게 운동량이 떨어져 걱정이다. 안약을 넣고 약을 먹일 때도 별다른 저항을 안 할 정도로 기력이 많이 떨어진 모습이다. 그래서 걱정이다. 이 녀석들을 계속 뒷마당에서, 또 길고양이로 살게 놔둬야 할지. 아니면 건강해질 때까지만 이라도 다른 곳에서 관리를 해야 할지. 앞으로도 길고양이로 살아가야 할 이 녀석들을 너무 사람 손 타게 만드는 건 아닌지 고민이 많다. 사실 어미는 (이 녀석도 겨우 태어난 지 1년이 넘는 어린 녀석일 뿐이다) 벌써 우리 손을 탄 것 같다.

막내만이라도 입양해서 키우는 건 어떨지 얘기가 나왔는데, 이미 두 마리의 고양이와 살고 있기도 하고 생명을 다루는 일이라 몹시 조심스럽다.

그 와중에 일단 아내가 세 녀석의 이름을 지었다.
우리 가게 이름을 따서 가장 건강한 첫 째 삼색이는 '마이'. 오드아이의 둘 째는 '페이', 그리고 가장 몸이 약한 막내는 '보리':

얼른 건강하게 회복하자! 마이, 페이, 보리야!

왼쪽부터 마이, 페이, 보리

36. 특별한 3주년

그렇게 더 단단해졌다

지난 8월 한 달은 나와 내 가족의 삶을 송두리채로 앗아갈 뻔한 커다란 위기를 겪었던 날들이었다. 갑작스럽게 아내에게 큰 병이 의심되어 서울의 큰 대학병원을 오가며 여러 가지 검사와 진료 그리고 결과를 기다리며 대기하기를 반복해야 했다. 그 과정 중에 가장 견디기 힘든 건 아무것도 못하고 무기력하게 기다리는 일이었다. 검사나 결과를 기다리는 시간은 상대적으로는 짧았으나 절대적으로는 너무나 긴 시간이었다. 그 시간 동안 어쩔 수 없이 몰려드는 부정적인 생각들을 끊임없이 쳐내야 하는 일이 무엇보다 고통스러운 일이었다.

동네 병원에서 첫 진료를 받자마자 일이 심상치 않다고 생각한 나는 바로 오프라인 매장의 잠정 휴무를 주저 없이 결정했는데, 이건 다시 생각해도 잘한 일이었다. 이 기간 동안 우리에게 가장 중요한 건 마음의 안정이었기 때문에 조금이라도 여기에 다른 생각이 끼어들 틈을 제거할 수 있는 한 제거하는 것이 당시 내가 할 수 있는 최선이었다.

그럼에도 온라인 스토어는 차마 닫지 못했다. 물론 아무 잡념이 끼어들지 못하게 온라인도 닫고 싶은 것이 솔직한 심정이었다. 하지만 상황이 어떻게 급변할지 모르는 시점에서 경제적 어려움까지 겪게 된다면 어려움이 닥쳤을 때 침착하게 대처할 수 있는 여유가 없을지도 모르겠다는 생각에, 어렵사리 온라인 스토어는 중단 없이 이 기간 동안 지켜냈다.

너무나 다행스럽게 얼마 전 마지막 검사에서 특별한 이상이 없다는 결과를 듣게 되었고, 혹시 모르니 3개월 뒤에 한 번 더 검사를 해보자는 정도의 답을 들었다. 아무리 생각하지 않으려고 해도 온갖 부정적인 생각들이 스쳐가는 걸 막을 수 없었던 내게는, 그 부정적인 미래들과 마주하지 않을 수 있어서 정말 얼마나 다행인지 모른다. 아, 다행이다!

그렇게 우여곡절이라는 말로는 다 표현할 수 없는 일들을 겪어낸 뒤 마이페이보릿은 3주년을 맞았다. 아무 일도 없었다면 아무리 코로나로 힘든 시기를 보내고 있을지언정 뭐라도 기념 이벤트나 기획을 했었을 테지만, 오히려 아무것도 하지 않아도 되는 일상을 다시 맞이할 수 있는 것이 무엇보다 큰 3주년 이벤트가 됐다.

마침 처음으로 뽑은 아르바이트 직원도 오늘 첫 출근을
했다.

그렇게 우리는 더 단단해졌다.

37. 나는 왜 이 일을 하고 있지?

정성을 담은 큐레이션이 다시 필요해

요 근래 몹시 나태해졌다. 나태해진 이유가 바빠졌기 때문이라는 게 핑계이긴 하지만. 요일을 정해두고 글쓰기를 해야 되지 않을까 싶을 정도로 (계속하는 것은 힘이 된다), 짧지 않은 기간 동안 글도 한 줄 쓰지 못했다. 그 사이 새로 뽑은 직원은 이제 어느덧 두 달 차가 되어 잘 적응하고 있고, 우리는 이런저런 이슈들 속에서도 꾸준히 좋은 성적도 내고 있다.

요즘 부쩍 새로운 것에 대한 갈증이 커져서 아주 오랜만에 브랜딩과 작은 스타트업, 공간, 콘텐츠 등의 인사이트를 다시금 찾아보고 있다. 그렇게 유튜브에서 브랜드 운영자들의 이야기들을 듣다 보니 자연스럽게 내게 질문을 던지게 됐다.

'나는 왜 이 일을 하고 있지?'

좋아서 시작한 일. 회사 생활과는 달리 감당할 수 있는 스트레스와 규모의 적당선을 유지하며 일하기. 하지만 지속 가능한 일로 만들기 등 내가 이 일을 시작하면서 잊지 않으려고 중간중간 되뇌는 가치들이 있다. 이렇게 거창하다면 거창한 가치들 말고 사소하고 디테일한 것들도 있다. 이를 테면 좋아하는 마음을 듬뿍 담아 설득하기 같은 거.

온라인 판매의 비중이 커지고 또 인스타그램이 주된 브랜드 창구가 되면서 점차 나도 모르는 사이에 SNS에 최적화된 업무형태가 되어버렸다. SNS에 어떤 사진을 올릴 것이냐, 입고 소식은 언제쯤 어떻게 올릴 것인가, 제품 사진은 어떻게 촬영할 것인가 처럼. 그런 고민들을 매일 하는 덕에 이 채널 하나 만으로도 많은 유입을 유도하고는 있지만, 한 편으론 그런 불만 아닌 불만도 있다.

'우리는 그저 쇼핑몰인가?' '나는 그저 쇼핑몰을 하려던 건 아닌데..'

결국 과정이 어찌 되었든 오프라인 매장과 온라인 스토어를 운영한다는 것은 더 많은 제품의 판매가 목적이다. 그런데 요즘은 '어찌 되었든' 상관없다고 간과해서인지 몰라도 그 '과정'이 많이 퇴색되어 버렸다. 잘 팔리는 제품을 구해와 판매하기보다는 이 제품을(영화를, 음악을) 내가 왜 좋아하고, 어떤 포인트가 감동적이고, 그래서 이 제품이 얼마나 가치가 있는지를 소개하며 큐레이션 하고 싶었는데 요즘은 이 과정이 너무 생략되어 버렸다.

최근(최근도 아니다) 인스타에 올린 글들을 보면 대부분 입고된 제품을 그저 이름만 나열하는 것에 그칠 때가 많다. 제품명과 특이점 (주로 바이닐의 경우 컬러 반인가 아닌가, 몇 장인가, 한정 반인가 아닌가 등) 정도를 정리해 올릴 때가 대부분인데, 이건 소비자가 가장 궁금해할 기본적인 제품 정보이기는 하지만 모든 판매자가 알고 있고 전달할 수 있는 단순 데이터다. 아마 이렇게 그저 기본 정보 전달만 하게 된 이유는, 매일매일 새로운 입고 소식 자체를 전하는 것만으로도 바쁘고, 무엇보다 이렇게만 해도 제품 판매에는 거의 영향을 주지 않는다는 생각 (혹은 착각) 때문일 거다. 굳이 정성을 들여 하나하나 아이템에 대한 소개 글을 적지 않아도, 빨리 입고 소식을 알려주는 것만으로도 제품을 구매하려는 소비자들이 기다리고 있기 때문이다 (이건 우리가 주력으로 소개하는 바이닐 제품들이 대부분 수요보다 적은 수량만 입고되어 금세 품절되곤 하는 특수한 상황 때문이기도 하다).

오늘도 입고 소식을 알리자마자 60장이 넘는 엘피가 10분도 안돼 모두 판매되고, 하루 종일 재입고 여부를 묻는 CS를 대응해야 했고 또 그 주문 건들을 종일 포장하느라 바쁜 하루였다. 이 제품도 수요보다 공급이 턱없이 부족했고, 그래서 나는 단순히 입고되었다는 사실을 알리는 것에 그쳤고, 다른 특별한 큐레이션의 코멘트는 없었다.

하지만 이제 더 이상 이대로는 안 되겠다는 생각이 들었다. 당장은 매일매일 문제없이 제품이 판매되고 있으니 표면적으로는 문제 없는 것처럼 보이지만, 브랜딩의 측면에서는 조금씩 조금씩 색깔을 잃어가고 있다는 위기감이 들었다. 단순 큐레이션 만으로도 현상 유지는 할 수 있을지 모르지만(그렇게 보일 수는 있겠지만), 그건 언제라도 단숨에 무너질 수 있는 모래성과 같다. 많은 사람들이 원하는 제품을 더 다양하게, 더 많이 확보하는 것 자체도 큐레이션의 종류이자 브랜딩 성격을 갖지만 그것 만으로는 머지않아 한계가 올 것이고, 무엇보다 우리만의 차별점과 캐릭터를 갖기는 어려울 것이다.

왜 이 제품을 소개하는지에 대한 이유를 더 설명해야만

한다. 왜 내가 이 아이템을, 이 영화를, 이 음악을 좋아하는지를, 이미 좋아하는 이들이라면 고개를 끄덕이며 공감하게 만들고, 처음 알게 된 이들이라면 왜 그렇게 좋아하는지 궁금하게 만들어야 한다. 그래서 구매로 이어지거나 그렇지 않더라도 '아, 왜 이 브랜드 이름이 '마이페이보릿'인 줄은 알겠네'라고 설득될 수 있게.

오늘도 이렇게 초심을 다시 끄집어 내 본다. 초심을 계속 유지할 수 없다면, 자주 끄집어내기라도 해야지!

38. 예언자

예언자는 괴롭다

우리가 익히 알고 있는 역사 속 예언자들이 있다. 혹은 아주 용하다는 점쟁이들이 있다. 수십 년, 수백 년 뒤에 벌어질 일들을 어떻게 미리 알았을까 놀랍기만 한데, 사실 그들의 예언 가운데는 틀린 것들도 많다. 적중률로 따지면 낮은 경우가 대부분이지만 세상은 대부분 몇 번의 적중된 예언들 만을 기억한다. 특히 적중률과 상관없이 그 횟수가 여러 번이라면 더더욱. 대부분의 예언자들은 이미 세상을 떠났기 때문에 그 심정은 알 수 없지만, 완벽을 추구했던 예언자들이라면 아마 그렇지 않았을까?

'아, 더 적중률을 높였어야 했는데...'

요즘엔 나도 자주 예언자가 된다. 아니, 되어야만 하는 일이 자주 생긴다. 최근 몇 년 사이 전 세계적으로 바이닐 붐이 일면서 판매량이 많이 증가하기는 했지만, 그전까지는 분명 사향 산업에 가까웠기 때문에 관련 생산 공장들의 수는 그다지 많은 편이 아니었다. 하지만 갑자기 늘어난 수요에 적은 수의 생산 공장들은 빠르게 대응할 수 없었고 여기에 코로나 19라는 팬데믹 상황까지 겹치면서 공장 가동률은 더 떨어졌다.

이런 상황이다 보니 새로운 앨범이 발매되기 몇 달 전부터 각 도매상들을 통해 예약주문을 받는 일이 많아졌다. 정상적인 상황이라면 발매 몇 주 전 정도에 도매상들에게도 예상 수량을 예약받고, 그 뒤 일반 고객들에게도 예약주문을 받아야겠지만, 상황이 여의치 않다 보니 가끔은 몇 달 전에, 또는 반년도 더 전에 예약 주문을 해야 하는 일들이 생기게 됐다.

몇 주 정도라면 업자의 감으로 수요와 공급을 예상해 어느 정도 맞출 수 있겠지만, 반년 가까이 발매가 남은 제품의 수요를 예상하는 것은 여간 어려운 일이 아니다. 단순히 수요와 공급의 간극을 예상하는 정도가 아니라, 그 사이 어떤 외부 요인들이 발생할지 모른다는 변수도 예상해야 하는 것은 골치 아픈 일이다.

이건 단순히 수요 예측의 문제가 아니라 정말 예언에 가깝다. 실제로 코로나 발생 전에 주문했던 바이닐이 코로나가 갑자기 발생하면서 몇 달이나 발매가 연기되어 판매

타이밍을 놓쳐버린 경우도 있었다. 코로나 바이러스의 창궐을 일반 소상공인이 어떻게 예상한다는 말인가 (노스트라다무스도 아니고! 노스트라다무스도 다 맞춘 건 아니라고!).

그렇게 워낙 변수가 많다 보니 한참 전부터는 설령 없어서 못 파는 한이 있어도 발매일이 오래 남은 제품은 주문을 소극적으로 하고 있는데, 오늘 미지(?)의 택배 상자를 받고는 잠깐 상념에 휩싸였다 (싸늘한 바람이 온몸을 감싼 것 같기도 하다). 박스만 봐서는, 아니 주문한 거래처의 명을 보고도 얼핏 무슨 제품을 시켰는지 기억나지 않을 정도로 오래전에 주문했던 바이닐이 이제야 도착한 것이다.

이렇게 희미한 기억 속에 있는 제품이 도착했을 땐 메일함을 검색해 보곤 하는데, 정말로 올해 초에 주문 마감이어서 부랴부랴 주문했던 제품이 연말이 다되어서야 발매되고 도착한 것이다. 아마 지금의 나라면 이 정도로 많은 수량을 주문하진 않았을 텐데, 과거로 갈 수 있다면 책장 뒤에서 책을 움직여 떨어뜨려 모스 부호를 날려서라도 주문 수량을 줄이라고 경고하고 싶다. 하지만 이것도 다 결과론적인 얘기다. 가끔은 지금의 나보다 배포 있게 주문했던 과

거의 나 덕에 다른 곳에서는 재고가 없어서 못 파는 제품들을 여유 있게 파는 경우도 있다 (가끔이지만).

제품 판매도 대부분은 타이밍이 아주 중요한데, 모든 판매나 홍보가 그렇듯 초반에 그 제품의 운명이 결정되는 경우가 많다. SNS를 통해 입고 소식을 처음 알렸을 때 몇 시간 내에 얼마나 많은 판매가 일어나느냐가 판매량의 대부분이 되기도 한다. 바로 반응이 오면 그 이후에도 비교적 손쉽게 재고를 소진할 수 있지만, 첫 시도에 반응이 별로 없으면 아주 오랜 기간 이 재고 때문에 고통받기도 한다.

조금 전 그렇게 오래전 주문했던 제품의 입고 소식을 SNS에 올렸고, 스토어를 계속 새로고침 중이나 별로 반응이 없다. 이번 예언은 실패한 것 같다.

39. 디깅엔 루테인이 필요해

눈 건강이 곧 비즈니스의 힘

계속 새로운 아이템을 발굴하고 부족한 아이템들이 떨어지지 않도록 부지런히 채우는 일. 남들에겐 스트레스 해소의 방법이자 취미이기도 한 일종의 디깅 같은 행위가 내게는 곧 일이다. 그것도 업무의 가장 큰 비중을 차지하는 중요한 일. 효율성이 강조되는 큐레이션이 일상이 된 요즘, 우리가 보는 수많은 큐레이션들은 아마도 누군가의 아주 오랜 디깅의 시간이 담긴 결과물일 거다.

책이면 책, 음반이면 음반, 피규어면 피규어, 좀 더 일원화된 비즈니스라면 수월하지 않을까 싶은데 이것들 외에도 오만가지를 취급하는 우리는 거래처만 해도 수십 곳 (요 근래는 세어보지 않았는데 세 자릿수에 도달하지 않을까 두렵다)이라 각각 주문하는 일이 말 그대로 '일'이다. 워낙 거래처가 많다 보니 그저 기본적인 주문 루틴을 한 사이클 도는데도 적지 않은 시간이 소요된다. 종류도 심지어 언어와 화폐 종류도(달러, 유로, 엔, 파운드 등) 각각 다양하다 보니 조금만 집중력이 흐트러져도 엉뚱한 아이템을 주문할 수 있기 때문에, 매번 집중 또 집중하게 된다.

　많은 곳이 웹사이트를 통해 비교적 편리하게 주문이 가능하지만, 적지 않은 수의 거래처들은 스크롤 바의 크기가 아주 작은 엑셀 파일을 보고 주문서를 작성해야 하는 곳들도 있다. 음반의 경우 아티스트 명 등으로 순서가 정리되어 있는데 그냥 알고 있는 아티스트의 앨범을 검색해서 주문하는 수준이라면 수월하겠지만, 계속 새로운 아티스트를 발굴하고 또 기억에만 의존해 주문할 수 없다 보니 이 긴 리스트를 0부터 Z까지 훑어내려가는 일이 대부분이다.

　그렇게 집중해서 스크롤을 천천히 내려다가 보면 이내 눈이 피곤해진다. 슥슥, 휙휙 익숙한 것들로 기본 주문서를 작성하면 시원시원하게 스크롤을 내리며 눈이 피곤할 틈도 없이 주문을 마칠 수도 있을 거다. 하지만 최근엔 좀 더 제품 매입에 퀄리티를 높이기 위해 그야말로 리스트를 정독 또 정독하고 있다 보니 눈의 피로도가 말이 아니다. 거의 눈 건강과 주문의 퀄리티를 맞바꿨다고 해도 과언이 아니다. 그렇게 주문한 제품들이 이내 팔려서 번 돈으로 루테인을 사 먹으면 다시 처음으로 복원되는 것일까. 뭔가 살짝 우울해진다.

오늘도 늦은 시간 컴퓨터 앞에 앉아 다시 해외 거래처에 주문서를 작성하기 위해 눈이 빠져라 리스트를 훑다가 잠시 쉬지 않으면 안 될 것 같아 글쓰기로 피난을 왔다 (하지만 글쓰기도 모니터를 보고...). 잠시 쉬고 난 뒤 다시 눈에 심지를 켜고 보석 같은 아이템들을 찾아내야지!

40. 아디오스, 2021

여러 가지로 다행이었어

1년 내내 괴롭혀 온 코로나 때문일까. 아니면 크리스마스는 물론 연말과 1월 1일까지 계속 하루도 쉬지 않고 바쁘게 일하고 있어서 일까. 한 해의 마지막 날이라는 게 전혀 실감 나지 않는다. 크리스마스도 연말도 새해도 전혀 기분이 나질 않고. 2021이라는 숫자는 안타깝게 끝날 때까지도 결국 익숙해지지 못한 채 2022이라는 새로운 숫자와 만나게 됐다. 2022년이라니 너무 우주적인 숫자다. 그렇게 느껴질 만큼 너무 오래 살았나 싶고 (이미 원더키디는 과거가 됐다).

2021년 한 해를 돌아보면 정말 많은 일들이 있었다. 마이페이보릿을 처음 시작할 때부터 기획했던 첫 책을 드디어 올해 초 독립출판으로 세상에 내보냈고 기대보다 반응이 좋아서 들뜨기도 했다. 그리고 이 책 내용으로 짧은 웹드라마 제작이라는 전혀 예상하지 못했던 일도 있었다. 한편 마이페이보릿은 물론이고 내 삶이 송두리째 바뀔 뻔한 위험한 일도 있었으나 정말 다행히 아무 일도 없이 지나갈 수 있어서 다행 또 다행이었다. 책 얘기가 나와서 덧붙이자면, 내년에는 에세이도 에세이지만 바이닐과 관련된 가이드북 하나를 기획하고 있고, 또 본업(?)이라 할 수 있는 영화 관련한 기획도 몇 가지가 있다. 내년에는 너무 늦지 않게 세상에 소개할 수 있었으면 좋겠다.

마이페이보릿으로 보자면 많은 분들이 오프라인과 온라인을 찾아주신 덕분에 또 한 뼘 성장할 수 있었다. 코로나로 인해 여러 가지로 불편하지만 매장은 꾸준히 찾아주시는 분들 덕에 상대적으로 큰 피해를 입지는 않았고, 온라인 스마트 스토어는 매달 단 번에 사그라질 것 같은 공포에 휩싸이기는 하지만 계속 성장해서 이제는 하루도 쉬는 날 없이 택배 포장과 발송에 매달리게 됐다. 따지고 보니 너무 바쁜 삶에 지쳐 회사도 관두고 먼 군산으로 와서 시작한 일이었는데, 올 한 해는 하루도 못 쉬고 매일 출근했던 1년이었다. 물론 그건 고통이 아니라 다행이었고. 내년에는 정말 일주일에 하루 정도는 출근하지 않고 전혀 일하지 않는 날을 만들어 보고 싶은데, 과연 내가 그걸 견딜 수 있을런지는 잘 모르겠다.

아, 그리고 지난 9월부터는 처음으로 아르바이트로 직

원분도 채용했는데, 다행히 너무 잘 적응해주셔서 많은 도움이 되고 있다. 이를 발판으로 원래 계획했던 대로 매장은 직원분께 조금 맡겨두고 나는 다른 새로운 일들을 해보려고 하는데 그 역시 잘 될지 모르겠다 (그런데 이건 잘 되게 해야겠지). 몇 년째 꾸준히 우리를 다른 곳에서 소개할 수 있었던 광교 스트롤(STROL)은 올 한 해에 이어 내년에도 계속 함께 할 예정이고, 지난해 말부터 함께 해온 커뮤니티 시네마의 금지옥엽 역시 계속 무언가 더 재미있는 일을 함께 해볼 수 있을까 노력 중이다.

오프라인 매장으로서 마이페이보릿은 명확한 장단점을 다시 한번 확인할 수 있었던 한 해였다. 적당히 하고자 한다면 적당한 수준으로 유지하는 것이 아니라 확장하지 않으면 안 된다는 걸 또 한 번 확인할 수 있었는데, 과연 2022년에는 서울 혹은 다른 곳에 새로운 매장을 내게 될지 (내야 할지) 고민이다. 작은 규모를 계속 유지하고 싶은데 하면 할수록 이게 쉬운 일이 아니라는 걸 깨닫게 된다 (작게 하려면 커져야 한다니 이게 무슨!!).

온라인 스마트 스토어는 이제 완전한 매출의 중심이 되었지만 그럴수록 고민이 되기도 했다. 수많은 경쟁자들 속에서 빠르게 바이닐 판매처로 슬쩍 자리 잡기는 했지만, 바이닐이 많이 팔리면 팔릴수록 고민은 더해졌다.

'마이페이보릿이 음반샵 만은 아닌데...' '바이닐만 판매하는 곳은 아닌데..' 이러다가는 정체성을 더 고민하기 전에 자본주의 순리에 따라 완전히 잠식되어 버릴 수도 있겠다 싶었다. 반면 '바이닐 판매를 초기처럼 최소화하고 시네마 스토어로서만 존재했다면 과연 성장, 아니 생존할 수 있었을까?' 하는 현실적 고민도 있었다. 정체성만 내세우다가 생존하지 못한다면 그것도 의미가 없고, 생존에만 매달려도 저도 아닌 모습이 되어버리면 그건 결국 악영향을 끼치게 될 테고. 이건 아마 마이페이보릿을 운영하는 내내 끝까지 고민해야 할 지점일 거다. 그 사이에서 존재할지도 모를 모순의 균형점을 계속 찾으려고 노력 중이다. 그게 바로 올 한 해 가장 많이 노력해온 일이기도 하다.

2022년에는 여러 가지 변화가 예정되어 있다. 그 시점에서 변화의 폭을 조정하고 결정하는 것이 가장 큰 분기점이 될 것 같다. 마이페이보릿 시네마 스토어는 내년에 과연 어떻게 될까. 고만고만한 정도로 하고 싶은 마음은 원하는 결과를 얻게 될까, 아니면 더 큰 기회의 바람에 휩쓸려 도

전 아닌 도전을 하게 될까. 참 다행스러웠던 2021년을 마무리하며 이런저런 고민들을 남겨본다.

2021년 한 해 마이페이보릿을 온/오프라인으로 찾아준 모든 분들 감사합니다!

2022년에도 애정 어린 관심 부탁드려요 :)

(왠지 오메데토 엔딩이 떠오르는 마지막이구만!)

Adios!

2022

41. 알림 기능 해제

조금은 자유로워졌어

CS는 하면 할수록 익숙해지기보단 더 어려워진다. 보통의 일은 숙련도가 높아지면 훨씬 더 수월해지기 마련인데, CS 업무는 조금 결이 다른 것 같다. 이를테면 한정된 자원을 점점 소진해가는 느낌이다. 숙련될수록 보통 사람보다 한정된 양이 조금 더 늘어나긴 하지만 결국 소진될 운명이 확정된 업무에 가깝다. 기술적으로는 대처 능력이 증가하지만 감정적인 부분은 점점 소진되어 고갈될 수 밖에는 없어서 한계라는 지점이 분명히 있다.

요즘 들어 나의 CS에너지가 거의 고갈된 느낌이다. 하긴 그동안 많이 쓰긴 썼다. 마이페이보릿을 하면서 사용한 에너지는 많지 않은 편이지만, 그전에 여러 회사 생활을 하며 이미 많은 양의 CS에너지를 소진한 상태였다. 그렇게 소진된 에너지를 기술적 숙련도로 상쇄해오고 있었는데, 이제는 정말 거의 남지 않았다는 걸 자주 체감하곤 한다.

네이버 스마트 스토어는 여러 장점들이 있지만 단점들

도 분명히 존재하는데, 포인트는 판매자보다 구매자 중심에 여러 가지 초점이 맞춰있다는 것이다. 구매자가 일방적으로 할 수 있는 액션들이 여러 가지 있는데, 주문을 취소한다던지 결제 금액의 지급 보류를 신청한다던지 (이건 정말 이상하다. 구매자는 네이버에 요청할 수 있는데 판매자는 네이버에 소명조차 할 수 없다)하는 것들은 판매자 입장에서는 난감할 때가 많다.

CS의 경우도 네이버 톡톡이라는 메신저 서비스가 있는데, 톡톡 앱을 깔고 있으면 시간과 상관없이 고객 문의가 휴대폰에 푸시된다. 고객이 불편사항이나 문의사항을 남기면 실시간으로 푸시가 오는 형태인데, 보통 사람들이 생각하는 것보다 훨씬 더 많은 비중의 문의가 늦은 밤과 새벽시간에 집중되어 있다. 게시판의 형태라면 문의를 남기는 사람도 답변을 해야 하는 판매자도 문의를 남기는 시간에 큰 의미를 두지 않을 텐데, 메신저 형태다 보니 문의 시간에 몹시 민감할 수 밖에는 없다.

아주 늦은 밤 시간이나 새벽 시간에 메시지를 받았을 때 처음엔, 별도의 게시판이 없으니 게시판에 문의를 남기듯 남기신 거겠지. 즉, 이 시간에 답변을 받아야 되겠다는 의도는 없는 문의겠지라고 생각했었다. 많은 경우가 실제로 그랬고. 그런데 일부는 (당장 답변해야 할 정도로 중요한 문제가 아님에도) 야심한 시간에 반드시 답변이 올 것이라고(와야 한다고) 생각했다는 의심을 할 수밖에 없는 경우들이 있다. 재차 질문을 한다던가, 왜 답변을 하지 않는지 다시 묻는 등을 보면 그렇다. 그런 질문의 대부분은 아이러니하게도 실제로 문제가 있는 경우는 거의 없고, 이미 수차례 공지되어 있는 내용을 인지하지 못해 묻는 질문이거나, 신속성이 중요하지 않은 질문들이다.

그런 메시지의 휴대폰 푸시를 퇴근 후에, 늦은 시간에, 개인적인 시간에 일방적으로 받다 보니 삶이 야금야금 고통스러워졌다. '띠링'하는 푸시음만 들어도 노이로제가 걸릴 정도다. 그렇다고 안 볼 수는 없고, 막상 보면 95% 이상은 별 일이 아니다. 오죽하면 차라리 큰일이 있었으면 싶을 정도다. 그럴 경우라면 시간에 상관없이 바로 사과하고 안 내드리고, 최대한 빠르게 문제를 해결하면 될 일이니까.

이렇게 하소연하고 나면 분명히 누군가가 '그럼 휴대폰 푸시를 끄면 되잖아'라고 말할 텐데, 맞다.

그래서 드디어 어제 톡톡 앱을 지웠다. 고객 불편을 더 빠르게 해결하기 위한 전용 앱일 텐데, 결론적으로는 장점보다 단점이 더 많았다. 왜냐하면 지난번에도 얘기했던 것처럼 어차피 나는 지독한 새로고침 중독자라 앱으로 푸시가 오는 속도나 내가 직접 접속해서 확인하는 속도나 큰 차이가 없다.

그럼 또 누군가가 '그럼 앱을 지워도 스트레스는 똑같은 거 아니냐'라고 말할 텐데, 그건 다르더라.

이게 별 것 아닌 것 같지만, 내가 선택권이 없이 일방적으로 업무 외 시간에 무방비로 CS메시지에 노출되는 것과, 결과는 같더라도 내가 선택해서 자의로 메시지를 확인하는 것은 아주 큰 차이가 있었다. 앱을 지운 이후에는 언제 메시지가 올지 몰라 휴대폰을 불안하게 바라볼 일도 없어졌고, 내가 원치 않을 때 삶의 평화가 깨져버리는 일도 막을 수 있게 됐다. 하지만 그렇다고 CS의 속도가 느려졌나 하면 절대 그렇지 않다. 자동 푸시에 뒤지지 않는 휴먼 새로고침이 있기 때문에...

앱을 지운 지 이제 이틀이 지났는데, 정말로 삶이 훨씬

윤택해졌다. 개인 삶만 평화로워지고 스토어의 CS 업무 질
은 떨어진다면 그건 문제겠으나, 후자는 전혀 이상이 없다
는 점에서 진작 지울 걸 그랬다. 이렇게 확보한 에너지로
서비스의 질을 높이는 데에 투자하는 편이 결국 더 궁극적
인 CS (Customer Service)일 테니까.

42. 자극받는 삶

스트레스 말고 에너지가 돼야지

나는 요즘 특히 더 자극에 민감하다. 본래도 민감했지만 내 가게를 운영하면서 더 그리 된 것 같다. 긍정적인 자극을 받기 위해 일부러 자극적인(널리 통용되는 것과는 조금 다른 의미로) 영상이나 글들을 오랜 시간 검색하기도 하고, 일하는 과정 중 본의 아니게 부정적 자극을 받게 되는 순간들도 있다. 좋든 그렇지 않든, 요즘 나의 주요 키워드 중 하나는 분명 자극이다.

불만이나 불평, 비판부터 비난에 이르기까지 부정적인 자극은 제쳐두고, 긍정적인 자극에 대해서만 이야기해보려고 한다. 왜냐하면 긍정적인 자극들만 다뤄도 그 안에 부정적인 것 못지않은 스트레스가 있기 때문이다.

내 포지션은 원하든 원치 않든 각기 다른 영역의 자극에 노출되어 있다. 요새는 사실상 원고료를 받고 쓰고 있는 글이 없으니 프리랜서라고 부르기도 뭐하지만, 글 쓰는 캐릭터로서 좋은 글을 쓰는 셀 수 없이 많은 사람들에게 수도 없이 자극받는다. 기술적으로 훌륭한 글들, 특히 내가 좋아하는 영화나 음악에 관해 전문적인 영역에서 풀어낸 글들에도 그 수준에 자극받고, 문장력과 별개로 글을 읽고 난 뒤 무엇이든 행동하게 만드는 힘을 가진 글을 발견하게 될 때 또 큰 자극을 받는다. 가끔은 그 자극이 '더 잘해지!' '나도 더 좋은 글을 쓰고 싶다!'라는 용기의 원천이 되기도 한다. 하지만 또 가끔은 (아니 자주) 너무 수준을 훌쩍 뛰어넘는 글을 발견하곤 용기를 얻기 전에 스스로 한 없이 초라해지고 무너져 내리는 것 같은 우울함에 빠져버리기도 한다.

글 외에 요 몇 년 사이 내가 특히 자극받고 있는 분야는 자신만의 브랜드, 사업을 일궈가고 있는 이들의 이야기다. 주로 인터뷰나 영상 등을 통해 듣게 되는 그들의 이야기는 아주 직접적인 자극이 되곤 하는데, 기운이 들기도 빠지기도 하지만 결론적으로는 대부분 든든한 자양분이 된다. 이렇게 닮고 싶고 배우고 싶은 이야기를 들려주는 화자 가운데는 일면식도 없는 이들이 대부분이지만, 가끔 제법 가까운 지인들도 있다. 아는 사람의 이야기일수록 아무래도 더 자극의 강도가 세진다. 화자(대표)가 아니라 이야기 자체(브랜드)에 자극받을 때도 많다. 어떻게 저런 큰 규모를 운영하는 거지 싶은 반면, 정반대로 어떻게 저런 작은 규모로 이런 영향력을 펼칠 수 있는 거지 싶기도 한다.

매주 일요일 저녁이 되면 한 주간을 간단하게 정리하는 글을 마이페이보릿 SNS에 올린다. 오늘도 느지막이 글을 남겼는데 대충 이런 글이었다.

'이것저것 더 하고 싶은 일들이 많은데 하루하루를 문제 없이 해결해 나가는 것만으로도 벅차 아쉽기만 하네요'

풀어쓰자면 이렇다.

'여기저기서 하루에도 수십 번씩 다양한 자극들을 받는 데, 그 에너지의 반의 반도 내 것으로 만들지 못하고 있어 서 너무 답답하네요'.

스스로에 대한 답답함이자 책망인데 결국 더 부지런해 지면 어느 정도 해결될 수 있는, 정답이 나와있는 문제다. 결론은 그 자극들에 무뎌지지 않으면서도 스트레스만 쌓여 부정적이 되지 않으려면 아주 조금씩이라도 더 부지런해질 필요가 있다.

내 등을 아주 살짝만 밀어 보자. 너무 세게는 말고.

43. 오랜만에, 지금 우리는!

조금 빠른 걸음으로, 멈추지 않고

창업하고 처음 한 해를 돌아보면 그때는 모든 게 다 제로부터 시작이라 무얼 하든 새로운 기록이었기에 하나씩 경신해 가는 재미가 있었다. 또 그걸 기록함으로써 경신의 의미를 되새겨 보기도 했고. 3년 차가 되고, 어느 정도 예상 가능한 매출 구조가 생기면서부터는 이런 기록 경신과 그것에 대한 기록도 뜸해졌는데, 오랜만에 한 번 정리해볼 필요가 있겠다 싶었다.

물론 더 이상 매출 목표를 갱신하고 기록하는 것이 초창기보다 큰 의미가 없어졌기 때문이기도 하지만, 그럴 여유가 없을 정도로 요 몇 달은 정말 바빴다. 그 여유를 좀 찾아보려고 직원도 고용하고 했던 것인데, 아이러니하게도 일은 더 바빠졌다. 그 전에는 해오던 다른 일들조차 소홀해질 정도로. 어느 순간부터 그런 여유도 없이 바쁘다는 걸 눈치챘는데, 알면서도 좀 더 달려보자 싶었다. '물 들어올 때 노 저어야지' 정도의 순풍을 탄 것은 아니었지만, 조금씩 바람을 타고 하강하고 있지는 않았기에 조금은 더 바람을 타봐도 좋겠다 싶었다.

근래 오프라인 매장은 오미크론 확진자의 수가 기하급수적으로 늘어나고 있는 추세와는 반대로, 가끔은 코로나 이전을 떠올리게 할 정도로 방문하는 손님의 수가 많았다. 주말은 그럭저럭 평균적인 수준을 유지했다면 평일 매출의 순도가 아주 좋았다. 주말에 비해 거의 10분의 1 정도 손님이 방문하지만 매출은 큰 차이가 없는 날이 있을 정도로, 매출의 규모도 가성비도 훌륭한 날들이 지난달엔 여럿 있었다. 이렇게만 지속된다면 주말에 쉬어도 괜찮겠다 라는 (우스운) 생각이 들 정도였다. 물론 그런 일은 생기지 않고, 지속되진 못하겠지만.

코로나 시대에 접어들면서 그 이전 성수기, 비성수기의 개념이 사실상 사라졌는데 확진자의 수는 최근 피크지만 반대로 사람들은 이 시대에 완전히 적응하면서 다시금 성수기 시절(방학기간)의 방문 빈도를 나타냈다.

지난달은 오랜만에 온라인 스토어 매출도 거의 손꼽을 정도로 높은 매출을 기록했다. 온라인 주문도 어느 정도 흐름이 있어서 일주일을 기준으로 보았을 때 주문이 많고 적은 날들이 반복되는 것이 평균인데, 지난달은 거의 크게 떨어지는 날이 없이 꾸준히 매출을 유지하면서도 가끔씩 입고 품목에 따라 매출이 확 뛰는 날들도 여전히 존재하면서 높은 매출을 기록했다.

여전히 온라인 매출의 큰 비중은 바이닐이 차지하고 있지만 상대적으로 포스터의 비중이 최근 몇 달 사이 늘어나는 것은 고무적인 일이다. 요즘 국내 바이닐 시장의 수요 공급 상황은 정상이 아니다. 이 얘기를 하자면 이것만으로도 할 얘기가 가득한데, 모든 한정반 시장이 그렇지만 바이닐 시장 역시 그 장단점(하지만 단점이 훨씬 많은)을 고스란히 보여주고 있다. 우리는 그나마 영화음악과 그 외 내 취향의 음악들만 취급하는 데도 이 정도인데, 모든 주요 품목을 취급하는 다른 대형몰이나 작은 스토어들은 아마 훨씬 더 골치일 거다. 나는 그에 반해 수량을 확보하기만 하면 완판 하는 것에는 문제가 없을 품목의 유혹을 견디는 문제만 해결하면 그럭저럭 버틸 만한 상황이다.

매출액만 보면 주머니에 현금이 넘쳐나지는 않아도 여유는 있어야 할 것 같지만, 아쉽게도 매출이 늘수록 사전에 이뤄진 매입이 많은 탓에 주머니 사정은 아직도 매달 조금 숨통과 간당간당을 오가는 상황이다. 그나마 최소한의 마진(진짜 최소한)을 최대한 지키려고 해서 망정이지, 본격 가격 경쟁을 했다면 아마 주머니 사정은 더 나빠졌을 거다.

그렇게 2022년도 벌써 3월이 됐다.

조금 여유를 가져볼까 했지만 조용히 내 차례를 기다리며 순응하는 것밖에는 방법이 없다는 오미크론 유행에 한 명 밖에 없는 우리 직원 가족도 확진이 되어 한동안 출근이 어려울 것 같다. 그래서 오히려 더 여유는 없어졌지만 (그래서 예매해둔 배트맨 아이맥스 영화도 결국 취소하고 가게에 나와 포장을 했지만) 이번 달도 멈추지 말고 빠른 걸음으로 계속 걸어봐야겠다. 이렇게 1년을 지속할 수 있으면 내년엔 좀 더 나아지겠지. 암.

44. 자제는 나의 힘

힘내라 나의 자제력!

어 롱롱 타임 어고. 음반, DVD 업계에서 제법 경력을 쌓아오던 나는 적당한 시기에 새롭게 창업하는 온라인 음반/DVD 쇼핑몰의 창업 멤버로 스카우트되었다 (요즘에야 알게 된 일인데, 이게 내 첫 번째 창업 멤버로서의 시작이었다. 블로그 마케팅 업체 창업 멤버로 참여했던 게 처음이라고 착각하고 있었음). 처음 시작하는 쇼핑몰이다 보니 재고를 제로에서부터 시작하는 영광(?)도 누릴 수 있었다. 2천 년대 중반이던 그 당시도 어느 정도는 재고를 공유해서 100%를 보유하고 있는 시스템은 아니었지만, 그래도 대부분은 창고에 판매할 제품들을 확보해두던 시절이었다.

음반 쇼핑몰의 창업 멤버에게는 다음과 같은 특권이 있다. 대형 음반 쇼핑몰을 보면 시중에서 구할 수 있는 거의 대부분의 음반들의 DB가 등록되어 있는데, 이 셀 수 없을 정도로 많은 음반들을 제로베이스에서 주문할 수 있는 것이다. 이 얼마나 두근대고 떨리는 일인지! 매주 새롭게 발매되는 음반들을 주문하는 것도 신나는 일인데, 아무것도 없는 무의 상태에서 하나씩 채워가는 일이라니, 신나지 않을 수가 없었다. 대중성(잘 팔릴 것)과 약간의 취향을 고려해 주문을 하기 시작했는데, 다들 각 장르의 전문가고 경력자들이어서 커다란 창고를 절반 이상 채우는 건 그리 오래 걸리지 않았다.

내 담당은 DVD파트라 나 역시 당시 발매된 영화/음악 DVD들을 처음부터 기준에 맞춰 주문할 수 있는 기회가 있었다. 나 역시 누구나 알만한 그래서 누구나 하나씩은 사고 싶은 영화들부터, 조금은 취향의 영화들까지 고르는 데에 아주 오랜 시간이 걸리지 않았다. 이렇게 각 분야의 나름 전문가들이 세팅한 첫 재고 현황은 어땠을까? 물론 초심자들에 비해 나쁜 편이라고는 말할 수 없지만 오히려 전문가여서 독이 되는 점들이 많았다. 아예 음악이나 영화를 모른다면 철저하게 잘 팔리는 것 위주로 (그것이 꼭 좋다는 건 아니다) 주문하고 또 주문할 때 다른 사람의 잘못된 말에 휘둘릴지언정 조심스러울 수 밖에는 없었을 거다. 그런데 그 분야의 전문가나 경력자일 경우 아무래도 자신을 과신하게 마련이다. 이 경우 과신이란 음악을 너무 많이 알아서, 영화를 너무 많이 알아서 벌어진 일이었다.

당시 멤버들은 나를 포함해서 정말 음악을 편견 없이 다양하게 듣던 사람들이었다. 대부분이 그러하듯 음악에 빠지기 시작하면 처음에는 자신이 좋아하는 장르만 파다가 나중에는 점점 더 매니악하고 어려운 장르로까지 빠져들게 된다. 그러다 보면 보통은 재즈로 빠졌다가 결국 클래식까지 듣게 된다. 이 당시 멤버들은 대부분이 그랬다. 그만큼 다양한 장르를 알 만큼은 아는 사람들이었는데, 그렇다 보니 문제가 됐다. 각 장르의 수많은 명반들을 알고 있다 보니 주문을 할 때 판매 여부와 상관없이 이 명반들을 그냥 지나칠 수가 없었던 것이다. '야, 이건 있어야지' '이건 클래식(기본)이지' '이 앨범도 빼놓을 수 없지!' 등등 스스로 양보를 수없이 거듭해도 뺄 수 없는 음반들이 너무 많았다. 영화도 물론 마찬가지였다. 고전 클래식부터 최신 영화에 이르기까지. 절대 빼놓을 수 없는 영화들만 고르고 골랐는데도 그 숫자(재고)는 결코 적지 않았다.

여기서 중요한 건 스스로 엄청 보수적으로 주문했다는 점이다. 여유 있게 주문해보자!라는 식이 아니라, 최대한 꼭 있어야 할 것만 주문해야지 하는 식으로 주문했는데도, 너무 좋아하는 음반과 영화들이 많다 보니 그 숫자가 적지 않았던 것이다. 그 결과 몇 년 뒤 퇴사할 때까지 단 한 장도 판매되지 않은 DVD도 몇 장 있을 만큼, 자제하고 자제했는데도 첫 번째 주문의 효율은 그리 좋지 못했다. 그래도 다행이었던 건 다들 경력자여서 그런지 창업하고 그리 오래 지나지 않아서 이런 경향성을 비교적 빨리 발견하고 고쳤다는 점이다.

요즘 자주 그때 생각을 한다. 그때의 교훈을 자주 떠올린다. 요즘, 특히 시장성이 좋은 바이닐들을 주문하려고 주문서를 볼 때면 자제하기 쉽지 않을 때가 많다. 각각이 각자의 이유로 꼭 주문해야 하는 (하고 싶은) 앨범들이기 때문이다. 어떤 바이닐은 최근 가장 잘 나가는 앨범이라서, 어떤 바이닐은 한동안 재입고가 되지 않았던 앨범이라서 같이 비교적 상식적인 이유로 자제하기 힘든 제품들도 있는 반면, 롱롱 타임 어고 시절 겪었던 것과 정확히 동일하게 '이 정도는 있어야 하는 앨범이라서' '이건 판매 여부와 상관없이 소개할 의미가 있는 제품이어서' '이건 인간이라면 꼭 들어봐야지' 등 범휴머니즘 세계관에 걸맞은 이유를 가진 제품들까지. 주문서의 리스트를 자제하며 지워가는 것은 여전히 힘들다. 더 좋은 영화를 알게 되고, 더 좋은 음악을 알게 될수록 점점 더 어려워지고.

하지만 놀랍게도 마이페이보릿이 버티는 힘은 바로 이 자제의 힘이다. 가끔 조금씩 오버되기는 하지만, 그래도 과거의 교훈을 자주 되새기며 자제하는 건 거의 루틴이 됐다. 지금도 100%의 자제를 하고 있다고 말할 수는 없지만 매번 고민하며 자제하고 있다. 하긴 100%의 자제라는 게 있을까? 100% 자제하면 그건 아무것도 주문하지 않는 걸 테니 말이다.

오늘도 한참을 스크롤해야 맨 끝줄에 도착하는 긴 주문서 안에서 각자 '난 꼭 있어야 하는 제품이지'라고 말하는 제품들과 내 자제력이 대치 중이다. 그렇게 자제해도 재고는 조금씩 늘어간다. 그래도 자제는 나의 힘이다.

45. 아슬아슬 취향의 경계
어쩌면 지금이 경계의 순간

언젠가 일 관련 미팅하는 자리에서 그런 얘기를 나눈 적이 있다.

"LP붐이 사그라들면 어쩌죠? 언제까지 이 유행이 계속 될까요?"

최근 몇 년간 바이닐의 인기가 대단하다 보니 LP를 주 력으로 판매를 하는 곳들이 우리를 비롯해 정말 많이 늘어 났다. 하지만 바이닐은 새로운 것이 아니라 과거의 아날로 그 포맷이다 보니 유행이 끝나고 거품이 꺼지게 되면 어떻 게 하나 걱정된다는 얘기였다. 나는 이 질문에 이렇게 대답 했다.

"저는 유행은 한동안 더 지속될 것 같은데 오히려 그렇 게 되면 더 위기감이 들 것 같아요"
"코로나가 끝나고 모든 것이 제자리로 돌아오게 되면 다시 바이닐을 만드는 공장들도 정상 운영될 거고, 여기에 바이닐 시장의 가치를 확인한 제조사들이 공장을 늘리고 생산량을 늘릴지도 모르거든요. 그러면 지금과 다르게 공급이 많아지면서 우리 같은 작은 가게는 경쟁력을 갖는 것이 어려울 것 같거든요"라고.

아직 그 정도로 정상화되지는 않았지만, 조금씩 이 과열된 시장의 분위기가 생산 및 제작에도 영향을 미치는 것 같다. 아직 전 세계적으로 수요를 충분히 커버할 만큼의 공급은 되지 않고 있지만, 국내 시장만 보면 바이닐의 인기를 체감한 몇몇 음반사들이 앞다투어 바이닐 발매를 이어가고 있다. 아주 헤비 한 리스너가 아니면 잘 알지 못하는 인디 뮤지션들의 앨범들도 바이닐로 발매된다고 하면 판매를 시작하기 무섭게 품절이 되어 버리는 일이 잦아졌다 (이름만 들어도 알만한 뮤지션들의 발매는 말할 것도 없고).

그렇게 정말 많은 국내 뮤지션들의 앨범이 바이닐로 쏟아져 나오고, 몇 개월 뒤 발매될 앨범을 한참 전에 주문과 판매를 완료하는 등의 프로세스가 반복되면서 문득 더 이상 이렇게 가면 안 되겠다는 생각이 들었다. 우리는 아직도 내 '취향'이라는 이름 하에 선택된 앨범들만 판매하고 있다. 하지만 고객층이 전반적인 바이닐 구매층으로 확대되면서 인기 있는 신보들은 가급적 판매하려고 하다 보니, 판매량과 매출은 늘었지만 점점 색깔이 희미해질 수도 있겠다는 위기감이 내내 있었다.

사실 근 1년 넘게 우리의 매출 구조상 바이닐의 비중은 절대적이다. 마진 구조는 열악하지만 매출 자체가 많기 때문에 자연스럽게 비중이 커졌고, 앞서 이야기했던 것처럼 '시네마 스토어'라는 성격은 물론 가끔은 내 취향에서도 조금씩 벗어나는 신보들도 완판이 확실했기 때문에 판매하는 일이 점점 늘었다. 이런 시점에서 매출의 큰 부분을 차지하는 바이닐의 판매 비중을 의도적으로 줄이다는 건 결코 쉬운 결정은 아니다. 냉정하게 말해서 바이닐 외에 제품들로 매출의 빈 공간을 메운다는 건 아주 어려운 일이기 때문이다.

바로 취향에서 조금이라도 벗어나는 제품들의 판매를 중지하거나 주문을 막지는 못하겠지만, 어쩌면 지금이 그 아슬아슬한 경계에 있다는 생각이 번뜩 들었다. 더 이상 이 잘되기만 하는 흐름에 몸을 맡겼다가는, 내 의지로 빠져나오지 못할 것 같다는 위기감. 정신이 번쩍 들었다. 사람들이 '마이페이보릿'하면 엘피 파는 곳이라는 생각이 더 굳어지기 전에, 이쯤에서 천천히 내려야겠다.

46. 아슬아슬 위기 탈출

이번에도 잘 넘겼다

(어쩌다 보니 아슬아슬 시리즈 2탄!)

온라인과 오프라인 모두 그럭저럭 만족할 만한 매출과 성장을 보여주고 있음에도 항상 긴장감을 늦출 수가 없던 이유가 있었다. 근래 바이닐 시장은 마진은 적고 입고가는 높은 편이라 잘 나가다가도 한 두 번 작지 않은 실수가 반복되면 작은 가게는 금세 위험해질 수 있는 구조다. 그래서 매번 주문을 할 때마다 고민 고민됐다. 제작사나 거래처에 주문하는 시점이 곧 우리를 제외한 다른 샵들이 예약주문을 받는 시점이기 때문에 아주 짧은 기간이지만 일종의 동향을 파악할 수 있는데, 그래서 더 유혹에 쉽게 흔들리기도 한다. 주문 시점에서 대부분 품절이 되는 걸 보게 되기 때문에 평소보다 훨씬 많은 수량을 (할 수만 있다면) 주문, 확보하려는 유혹에서 벗어나기가 쉽지 않다. 왜냐하면 이 시점에서는 수량이 얼마가 되었든 확보만 한다면 전량을 판매하는 건 문제가 없어 보이기 때문이다. 즉, 판매가 문제가 아니라 확보가 문제인 경우가 많기 때문에, 위험할 수 있다는 걸 알면서도 쉽게 유혹에 흔들리게 된다.

시장이 점점 과열되다 보니 매번 '없어서 못 팔지언정, 재고가 남도록 만들지 말자'라는 걸 되새기는 나로서도, 이 유혹에 끝내 넘어간 경우가 최근 몇 번 있었다. 몇 번은 유혹에 넘어간 것이었고, 몇 번은 다른 이유로 판매시점과 주문 수량 등이 꼬이면서 분명 부족했던 수량이 시장에 넘쳐나거나, 예상치 못했던 다른 샵들의 낮은 판매가로 상대적으로 고가 판매가 되어버려 판매 부진을 겪는 일도 생겼다.

이렇게 우려했던 한 두 번의 실수 아닌 실수가 반복되다 보니 오랜만에 제정적으로 위기감이 닥쳐왔다. 나름 야심 차게 질렀던(?) 바이닐들이 이런저런 이유로 판매가 부진하게 되면서 매출이 늘지 않았고, 이미 물건 값은 비싼 가격을 다 지불했다 보니 자금 순환이 여유롭지 못해 바로 문제가 발생하기 직전까지 다다랐다. 진짜 몇 번의 실수와 불운이 반복되었을 뿐인데 이것들이 한꺼번에 터지다 보니 위기가 바로 닥쳐오더라.

카드값 결제일은 닥쳐오는데 통장잔고가 차는 속도는 더디고. 최대한 상품 업데이트도 빨리 하고 제품 포장/배송도 빨리해서 빠르게 자금 순환이 되도록 하고(참고로 네이버스토어는 고객이 수령 후 구매확정까지 완료해야 판매자에게 돈이 입금된다), 조금씩 욕심부렸던 주문 건들도 거품을 빼는 데에 주력했다. 그렇게 며칠 머리를 꽁꽁 싸매며 할 수 있는 최대한을 노력한 끝에 정말 다행히도, 모든 카드 결제일에 맞춰 결제 대금을 문제없이 입금할 수 있었다. 물론 요즘에야 카드사에서 몇 달 정도는 쉽게 이월(리볼빙)을 해주기는 하지만, 사회 초년생 시절 리볼빙의 무서움을 제대로 겪어봤던 탓에 카드값을 이월시키는 건 심리적 마지노선을 넘는 느낌이라 사실상 없는 선택지로 생각하고 있다 (여러분 절대 리볼빙은 안됩니다. 걷잡을 수가 없어요).

오랜만에 위기 아닌 위기를 겪으면서 다시금 초심을 떠올려 보게 됐다. 내 취향이 사실 아닌데 확보만 하면 팔릴 것 같아 오버해서 주문한 제품들. 그런 식으로 주문한 제품들이 하나 둘 늘어나다 보니 점점 확장된 대혼돈의 멀티버스까지. 취향을 확장하는 것은 괜찮지만, 판매만을 고려해 카테고리와 장르를 확장하는 건 말 그대로 머지않아 대혼돈의 멀티버스가 될 수 있다는 걸 이번 위기로 새삼 깨달았다. 그래서 다시금 초심으로 돌아가 누가 봐도 확보만 한다면 판매는 따놓은 당상의 제품이지만 취향이 아닌 제품은 과감하게 주문을 포기했고, 한동안은 오히려 취향을 확장하기보다 기존의 색깔을 더 공고히 할 수 있는 아이템 수급에 주력하고자 한다.

솔찬히 위험했지만, 나태해질 수 있는 시점에서 큰 피해 없이 좋은 경험이 됐다 (다행이야!)

47. 일이 제일 쉬웠어요
자꾸 일만 하게 돼

　아무도 신경 쓰지 않고 강요하거나 독촉하지도 않는데 나 혼자 엄청 끙끙 앓는 일들이 있다. 고된 직장 생활을 하면서도 이런저런 다양한 글쓰기를 통해 프리랜서 생활도 꾸준히 함께 해왔었는데, 오히려 직장을 관두고 자영업을 하면서부터 (그것도 영화와 관련된 본격적인 일을 하면서도) 글 쓰는 일이 정말 더 어려워졌다. 여러 가지 아이디어들과 글감들은 여전히 존재하는데 예전보다 착수가 훨씬 어렵고, 어렵게 착수해도 끝을 내지 못하고 중간에 포기하는 경우도 늘었다. 모든 글 쓰는 이들이 그렇겠지만, 머릿속에 떠돌던 생각들을 손가락으로 풀어내는 스타트 지점은 항상 어렵다. 그러나 일단 시작만 하면 대부분 앉은자리에서 글을 한 번에 마무리 짓는 편이었고 중간에 멈추거나 포기하는 일은 한 번도 없었는데, 요새는 어렵게 시작한 글도 종종 중간에 포기하는 일이 늘었다.

　매일매일 무언가를 써야 한다는 스스로의 강박으로 노트북 앞에 앉는데, 첫 삽을 뜨는 것이 어렵다 보니 글쓰기를 포기하고 결국 다시 일을 하게 되는 경우가 늘었다. 내 일이라는 게 주로 컴퓨터 앞에서 하는 일이 대부분이다 보니, 어려운 글쓰기보다는 상대적으로 쉬운 일하기를 선택하게 된다. 그렇게 업무를 보는 것이 환기에 그치기만 하면 좋은데, 일을 또 집중해서 하다 보니 일을 마치고 나면 안 그래도 쉽지 않은 글쓰기의 여력이 남아 있지 않아 또 다음으로 미루게 된다.

오늘도 똑같이 반복되기 직전이었는데, 다행히도 뭐라도 쓰는 것으로 돌아왔고 이 만큼이나 썼다.

예전에는 글 쓰는 것이 가장 쉬운 일일 때도 있었다. 하루에 몇 개씩 다른 주제의 글을 뚝딱 완성해 내기도 하고, 전문이 아닌 분야의 글 의뢰도 빠르게 공부해서 일정 수준의 글을 써내기도 했다. 그것도 몹시 고된 회사 일을 마치고 늦은 시간 퇴근한 뒤에 말이다. 요새는 하도 글이 안 써지다 보니 오죽했으면 일부러 일을 훨씬 더 고되게 하고 늦게 퇴근해볼까 싶은 생각도 종종 한다.

또 글이 하도 안 써지다 보니 자연스럽게 쓰지 않아도 아무런 문제가 없다는 현실이 내 어깨를 자주 두드린다. 무엇이든 강박으로 느끼면서까지 할 필요는 없다는 생각이지만, 지금 내게 이 강박마저 없다면 마치 껍데기만 남게 될 것 같은 공포감이 든다. 어쩌면 하고 싶던 일을 말 그대로 '일(work)'로 만들어 버렸기 때문에 또 다른 업무 외적인 일이 간절한 걸지도 모르겠다.

글쓰기의 강박과 간절함. 이 두 가지에서 하루빨리 해방되었으면. 포기하는 것이 아니라 예전처럼 생각하는 대로 술술 써지는 나로서 해방되길 바란다.

48. 나는 영화인인가?

난 나야

긴 회사 생활. 돌이켜 보니 사회 초년생 시절을 제외하고는 항상 회사 업무 외적인 일로 영화와 함께 했던 것 같다. 최근 다시 열린 싸이월드에 접속했다가 아주 오래전 월간지들에 기고했던 글들을 다시 보게 됐다. 지금 생각해보면 20대 초중반에 어린 나이였고 (다른 필자들은 대부분 30대 중반~40대였던 것 같다) 이렇다 할 커리어도 아직 확고히 생성되기 전이었는데 다들 뭐를 보고 나를 써줬는지 궁금하다(감사하다). 오래전 글들을 다시 보며 느끼는 거지만 몇몇은 지금보다 잘 쓴 글들도 있고, 전반적으로 아주 열심히 썼다는 게 눈에 보인다. 한 잡지에 소속된 기자가 아니라 프리랜서로 몇 곳의 월간지에 기고하다 보니 써야 하는 원고의 수가 적지 않았는데, 진짜 열정적으로 썼다는 것이 지금 봐도 느껴진다. 물론 지금 보면 고치고 싶은 글들도 가득이지만, 그 에너지만은 결코 다시 따라 할 수 없을 것만 같다.

그렇게 직장을 다니며 프리랜서로 영화 글을 써왔을 때

도 나는 분명 외부인이었다. 영화 기자들이나 평론가들은 명확한 직함과 세계가 있지만, 나는 가끔은 칼럼니스트, 가끔은 기자, 가끔은 블로거 등으로 불리며 항상 외부인의 성격으로 함께 했던 것 같다. 그냥 글만 보낼 때는 잘 느껴지지 않는데, 가끔 행사가 있어서 나가게 되면 매번 뻘쭘하고 어색했던 기억이 있다. 어떤 그룹에도 쉽게 끼기 어려워서 그랬던 것 같다.

영화 가게를 열고 운영하는 요 몇 년간도 크게 달라지지 않았다. 영화와 관련된 여러 가지 직업군 가운데 '영화 굿즈샵 사장'은 없다 보니 여전히 나는 아웃사이더다. 영화 관련 굿즈를 만들거나 판매하는 사람들도 대부분 기본적으로 디자이너, 제작사, 수입사, 영화사 등 다른 직업들이 있기 때문에 각자의 근본 세계가 있지만 나는 영화 굿즈샵이 유일한 현업이기 때문에 여기서도 뭔가 섞이기가 쉽지가 않다 (책을 내고 글도 가끔 쓰니 작가에 끼면 되지 않나 싶기도 하지만, 작가 업계(?)에서는 또 굿즈샵 하는 사람이 책도 낸 경우라 또 다르게 분류되는 것 같다). 그리고 아직 책도 개인적인 에세이 한 권 (그것도 굿즈샵 운영과 관련된)이 전부이기 때문에 나 스스로 부담스럽기도 하고.

얼마 전 업무 관련해서 미팅을 하다가 우연히 이런 대화를 나눴다.

'대표님, 영화 수입도 한 번 해보시죠. 지금 하시는 일이랑 크게 차이가 없을 것 같은데. 잘하실 것 같아요'

워낙 제품 수입을 이런저런 나라에서 하고 있다 보니 영화 수입도 잘할지 모르겠다는 말씀이셨는데, 한 번도 생각해 본 적이 없던 일이라 조금은 신선했다. 결국 영화 좋아하는 사람이 하고 싶고 이루고 싶은 일은 자기 극장을 갖거나 나만의 영화를 만드는(연출) 일일 텐데, 나도 이런 것들은 막연하게 꿈꿔 왔지만 영화를 수입하는 일은 한 번도 생각해 본 적이 없었다. 뭐 언젠가 직접 영화를 수입하는 일을 하게 되는지도 모르겠다. 그러면 영화 수입사 대표라는 확실한 신분이 생기려나.

무언가 남들이 하지 않는 일을 홀로 하는 건 좀 쓸쓸하긴 하다. 그래 놓고 누군가 굿즈샵 하고 싶다고 물어보면 '하지 마세요'라고 말리고 있는 현실이 아이러니긴 하지만.

49. 왜 유튜브 안 하세요?

그게 말이죠

　요 몇 년 사이 제법 자주 듣는 질문이다. '하면 잘하실 것 같아요' 같은 응원 섞인 제안(?)과 함께 듣는 경우가 많은데, 가끔은 나도 내게 되묻곤 한다.

　'나 왜 유튜브는 안 하지?'

　아마 나를 잘 알고 있는 이들이라면 더 궁금할지도 모른다. 왜냐하면 지금까지 새로 나오는 플랫폼은 거의 하나도 빼놓지 않고 다 적극 활용해 왔던 나였기 때문이다. 싸이월드 이전엔 직접 웹에디터를 통해 홈페이지를 만들어 운영했고, 미니 홈피에 이어 블로그에서 정점을 이루다 SNS 시대에 와서도 인스타, 트위터, 페북 등을 아직도 제법 활발하게 운영 중이다 (팟캐스트는 몇 번 시도하려다가 결국 못해본 플랫폼이었다).

　미니 홈피 얘기가 나왔으니 말인데, 최근 나 역시 미니 홈피가 부활해 정말 오랜만에 예전 기록들을 꺼내볼 수 있었다. 사진들은 수년 전에 한 번 미리 확인한 터라 충격이 덜했는데, 오히려 당시 썼던 글들을 다시 보고는 적잖이 충격을 받았다. 그야말로 싸이 감성 글들이 가득이라 너무 놀랐고, 블로그가 없던 시절 미니 홈피를 마치 블로그처럼 다양한 게시판을 만들어서 긴 글들을 써왔다는 것도 잊고 있던 사실이라 놀라웠다. 그렇게 나는 매번 유행하는 플랫폼을 가장 먼저, 또 제법 헤비 하게 사용해 온 유저였기에 아마 유튜브도 자연스럽게 하지 않을까 나 역시 생각했었는데 결과는 의외로(?) 아니었던 것이다.

근데 이건 아는 사람만 아는 비밀이지만 사실 이미 유튜버라는 단어 자체도 없던 시절부터 나는 이미 유튜버였다. 당시 유튜브를 활용하는 사람은 그리 많지 않았었는데 (특히 국내에는), 대부분은 본인이 노래하거나 연주한 영상을 올리는 음악 콘텐츠들이 많았다. 나 역시 한창 노래하고 연주하는 것에 취미가 있던 때라 집에서 혼자 기타 치며 노래하는 영상을 시리즈로 올리곤 했었다. 요즘도 아주 가끔 찾아서 보곤 하는데, 워낙 마이너 한 영상이라 검색에도 쉽게 나오지 않아 즐겨찾기를 해둬야만 겨우 볼 수 있기에 나 혼자 즐기기 딱 좋다.

다시 '왜 유튜브 안 하세요?'라는 질문으로 돌아와 답을 생각해보면, 결국 타이밍이었던 것 같다. 새로운 걸 시도해 보려던 타이밍에 유튜브보다 먼저 눈에 들어왔던 건 브런치였고, 글 쓰는 것에 더 갈증이 있었던 시기라 공부하는 마음으로 더 글쓰기에 달려들었던 것 같다. 그러다 시간이 많이 지났고, 어느새 모두가 유튜버인 세상이 와버렸다. 남들이 다 하면 하고 싶던 일도 갑자기 하고 싶은 마음이 뚝 꺼지고 마는 내 특성상, 유튜버도 자연스럽게 관심에서 멀어지게 됐다. 그리고 사실 이제는 아마추어처럼 소박하게 채널을 운영하기에는 너무 잘하고 전문적인 채널들이 많아 선뜻 엄두가 안나기도 하고.

그래도 가끔 소소하게, 혹은 나와 비슷한 일이나 비슷한 꿈을 꾸는 사람들의 영상을 볼 때면 '나도 한번 해볼까?' 하는 생각을 정말 찰나 해본다. 아, 그리고 선뜻 못하겠는 다른 이유는 단순히 전문적이지 못하고, 여력이 부족해서만은 아니다. 모든 새로운 플랫폼을 운영할 때마다 그랬지만, 꾸준히 지속하지 못하고 중간에 결국 중단하게 되는 것에 대한 두려움, 거부감이 있다. 쉽게 코너를 만들지 못하는 이유도 같다. 글을 쓰다 보면 수없이 많은 코너 아이디어가 있는데 예전에는 겁도 없이 시작했다가 결국 몇 회를 못 넘기고 폐지하는 일이 많았다. 그래서 언제부턴가 최대한 새로운 코너를 만들지 않고 글쓰기를 이어가고 있다.

(그럴 일은 없겠지만)만약 언젠가 유튜브 개인채널을 만들게 된다면 진짜, 구독과 좋아요, 알림 설정 부탁드립니다.

50. 슬럼프
다시 처음으로 돌아가

보통은 슬럼프라는 단어에 대해 더 깊이 생각하기 전에 슬럼프가 끝나거나 끝내버리곤 하는데, 이번에는 '마침내' 여기까지 왔다. 글을 잘 못쓰게 되지는 꽤 오래됐는데 그래도 손이 더 굳기 전에 꾸역꾸역 써내곤 했던 것에 비하면, 이번에는 공백기가 제법 긴 편이다. 내가 쓰고 싶은 글이 대부분 영화 관련 글이다 보니 보통은 영화 자체를 별로 보지 못해 쓰지 못하거나, 별로 쓸 만한 이야기가 없는 영화들 뿐일 때 쓰지 못하는 시간이 길어지곤 한다. 그런데 요즘은 나름 부지런히 영화나 드라마를 챙겨봤는데도 잘 쓰지 못하고 있다. 아니, 반대로 잘 쓰지 못하니까 보는 거라도 부지런히 챙겨보자는 생각에 열심히 봤던 것 같다.

최애 박찬욱 감독의 〈헤어질 결심〉은 모든 것이 만족스러울 정도로 좋았고, 시즌을 거듭할수록 더 좋아지는 〈기묘한 이야기〉 시즌 4도 흥미진진 가슴 뛰게 감상했다. MCU의 새 영화 〈토르 : 러브 앤 썬더〉는 조금 실망스러웠고, 몹시 기대했던 새로운 스타워즈 시리즈 〈오비완 케노비〉도 조금은 아쉬운 편이었다. 아, 〈엄브렐러 아카데미

〉 시즌 3도 무언가 터질 듯 주저하다가 마무리된 느낌이 컸다. 〈문나이트〉는 색다른 재미로 쉴 틈 없이 즐겼고, 〈더 보이즈〉 시즌 3도 살짝 아슬아슬 한 지점이 있긴 했지만 여전히 막 나가는 재미가 있었다. 마지막으로 애니메이션 〈스파이 패밀리〉도 재미있게 보고 있고, 조금 뒤늦게 알게 된 〈불멸의 그대에게〉는 몹시 감동받아서 만화책도 바로 주문했다. 그리고 〈이상한 변호사 우영우〉도 울고 웃으며 함께 하는 중이고.

평소 같았으면 하나하나 술술 써내려 갔을 작품들이 많은데 저 중에 단 한 작품에 대해서도 쓰지 못했다. 특히 〈헤어질 결심〉은 여러 번 썼다가 지웠을 정도로 아직도 계속 머릿속에 생각들이 맴돌고 있는데, 너무 좋아하는 작품이라 이건 더 묵혀 두더라도 꼭 쓰고 싶다.

이렇게 글 쓰는 게 잘 안 풀리게 되면 나 혼자 엄청 스트레스를 받곤 하는데, 그동안은 이와 별개로 가게일은 큰 문제없이 잘 풀렸던 편이라 슬럼프가 덜했다. 그런데 요즘은 여러 가지 요인들로 인해 온/오프라인 스토어의 매출도 조금씩 떨어졌고, 아주 오랜만에 금전적인 위기감도 살짝 느껴보는 중이다. 나중에 다시 이야기할 기회가 있을지 모르겠지만 이제 확실히 바이닐(LP) 붐은 끝나기 시작한 것 같고, 높아만 가는 달러 환율에 수입이 메인인 우리는 적지 않은 골치를 썩고 있다. 원자재 가격 상승으로 음식 가격을 올리긴 해야겠는데 그렇다고 쉽게 올릴 수도 없다는 시장 상인의 인터뷰가 남일 같지 않다.

슬럼프가 살짝 굳은살처럼 정착(?)되다 보니 상황이 나아지지 않는 것과는 별개로 조금씩 마음에 여유가 생기고 있다. 너무 전형적인 결론이지만 초심으로 돌아가야겠다는 생각을 요즘 자주 한다. 마이페이보릿에서 판매할 제품들을 소싱할 때 좀 더 내가 좋아하는 것들을 잘 팔릴 만한 것보다 앞서 선택하고, 어디서나 잘 팔릴 만한 것들은 조금씩 덜어내고 있다.

글도 억지도 쓰려고 하기보다는 일단 좋아하는 작품들, 그간 놓쳤던 영화들을 부지런히 챙겨보는 것을 목표로 삼고 있다. 그래서 요 며칠 그간 타이밍이 안 맞아서 못 봤던 고레에다 히로카즈의 최근작들 〈세 번째 살인〉〈어느 가족〉〈파비안느의 관한 진실〉도 단숨에 챙겨봤다.

그렇게 다시 아주 천천히 속도를 내본다.

51. 현명한 결심이 되길
아직 많은 시간이 남았지만

"이번 주말 손님은 200분이 넘게 다녀가셨는데 구매하신 분들은 거의 없었어요"

"오늘 90여 명이 방문해주셨는데 구매하신 분은 2분이었습니다"

요 근래 독립서점을 운영하고 있는 각각 다른 가게들 SNS에서 보게 된 글이다. 요즘 들어 발생하는 경향이라기보다는 주로 작은 규모의 독립서점들이 흔히 겪는 일이다. 흔히 겪는 일이라고 하니 일반적인(견딜만한) 평범한 일상이라고 생각하기 쉬운데 사실 그렇지 않다. 규모가 작은 곳일수록 존폐의 위기에 놓일 정도의 치명적이다.

'방문한 손님은 많았는데 매출은 상대적으로 너무 적다. 그 이유는 무엇일까?'

흡사 난센스나 미스터리 퀴즈 같은 이 문제의 답을 알게 되는 데는 그리 오랜 시간이 걸리지 않는다. 보통 이런 일을 겪게 되면 대부분의 정상적인 사장이나 직원들은 '왜 제품이(이 경우 도서가) 팔리지 않는지'에 대한 원인과 해결책을 찾기 마련이다. 그리고 많은 사장들은 대부분 1차적 원인을 본인 가게의 문제점(자책하는 것)에서 찾는다. 판매하는 제품들이 매력이 덜한지, 가격이 부담스러운지, 전시가 잘못되었거나 응대가 불친절했는지 등등. 치열하게 고민해서 이 문제를 반드시 해결하고자 한다.

그렇게 없던 문제도 찾아내 보완하고 다른 방식으로 해결해보고자 하나, 많은 경우 이 문제는 안타깝게도 해결되지 못한다. 왜냐하면 애초에 문제의 원인이 그 가게에 있지 않기 때문이다. 그렇다면 왜 손님 방문이 적었던 것도 아니고 가게에 별다른 문제가 없었음에도 판매가 거의 이뤄지지 않은 것일까. 이미 눈치챌 만한 사람은 다 알고 있겠지만, 그건 방문했던 대부분의 손님들이 애초에 구매 할 목적으로 방문한 것이 아니었기 때문이다.

구경한다는 것은 보통 구매라는 행위를 가능하게 할 수도 있는 사전 행동인 경우가 많다. 내가 원하는 제품이 있는지 자유롭게 구경하다가 보면 원하는 제품을 찾아 구매할 수도 있고, 그렇지 않은 경우 구매하지 않을 수도 있다. 그러니까 구매할 생각이 거의 없이 구경을 할 수는 있지만,

그런 경우의 수는 매우 드물 것이다. 이 표현에 왜 이렇게 자신이 없는가 하면 전혀 구매의사 없이 구경하는 손님들을 너무 많이 경험했기 때문이다.

구경할 생각이 전혀 없었는데 구경하게 될 수도 있다. 구경하다 보면 구매하게 될 줄 알았는데 맘에 드는 것이 없어 구매하지 않을 수 있다. 너무 구매하고 싶어 구경했는데 막상 마음에 딱 드는 것이 없어 구매하지 않을 수도 있고. 너무 다른 경우이긴 하지만 구경할 생각도 구매할 생각도 없었는데 덜컥 구매하게 되는 경우도 없지 않다. 즉, '아니 왜 살 생각도 없으면서 가게에 오는 거야?'라는 말을 하려는 게 아니다. 그럴 수도 있다는 걸 인정하니까. 그런데 방문하는 손님의 대부분이 이런 경우라면 얘기가 달라진다. 더군다나 독립서점이나 우리 같은 시네마 스토어처럼 필요한 제품을 파는 곳이 아니라 취향의 제품을 파는 경우라면, 그리고 한두 명이 운영하는 작은 규모의 가게라면 더욱 그렇다.

작은 가게를 운영한 지 어느덧 4년이 되다 보니 저절로 생기는 능력들이 있다. 아마 다른 작은 가게 사장님들도 그렇겠지만 이제는 손님이 입장할 때 저 손님이 구매할지 안

할지 어느 정도 알 수 있다 (사실 아주 높은 확률로 알 수 있다). 앞서 하루에 100명 가까이 방문했는데 구매한 손님이 2명 정도였다는 글이 있었다. 이 100명 가운데 대부분이 구매를 위해 방문했는데 이런저런 이유로 구매하지 않아 실제로는 2명밖에 구매하지 않은 것인데 기대 매출이 너무 적어 사장님이 글을 남겼던 것일까? 결코 그렇지 않을 거다. 아마 100명 중 대부분이 전혀 구매 의사 없이 방문했다는 걸 알았기 때문에 남긴 글일 것이다.

그러면 전혀 구매할 의사가 없는데 왜 그 많은 손님들은 방문했던 것일까. 우연히 혹은 일부러.

우리는 관광지에 위치하고 있기 때문에 아직도 구매하는 분들의 대부분이 우연히 방문하는 터라 다른 경우지만, 수도권에 위치한 독립서점들의 경우 관광지가 아니거나 일부러 찾아가지 않으면 쉽게 발견하기 힘든 곳에 위치한 경우가 많다. 즉, 일부러 방문한 손님들의 비중이 더 많다는 얘기다.

그렇다면 그 손님들은 왜 '일부러' 방문했을까. 보통은 독립출판물을 구매하고 싶어 특별히 시간을 들여 방문했겠지만(그렇다면 좋겠지만), 다수는 본인의 SNS에 올릴 만한 예쁜 사진을 촬영하기 위해, 근처 약속 시간까지 남는 시간을 보내기 위해, 구매할 만한 책들의 리스트업을 하기 위해 방문하기도 한다. 무언가 인스타 갬성에 어울리는 사진을 찍기에 작고 유니크한 공간들은 매력적인 곳이어서 자주 작은 독립서점들은 이런 '배경'의 목적으로 활용되곤 한다. 그리고 책은 마음에 들지만 내용만 확인 뒤 구매는 더 저렴한 온라인 대형서점에서 구매하기 위한 목적으로 방문하기도 하고.

다시 말하지만 이 모든 경우를 이해하지 못하거나 인정하지 못하는 서점 주인은 아마 없을 것이다. 그런데 손님의 대부분이 이런 손님이라면 그건 좀 견디기가 힘들다. 무인 가게라면 또 모를까. 몇 평 안 되는 작은 공간에서 한두 명의 적은 인원이 일하는 가게들의 경우, 이런 손님들만 종일 오간다면 어지간히 멘털이 강한 사람이라 할지라도 여간 기운이 빠지는 일이 아닐 수 없다. 이런 작은 가게일수록 운영하는 사람의 멘털이나 에너지가 곧 그 가게의 전부라고 할 수 있는데, 이런 애초에 전혀 구매의사가 없는 다른 목적의 방문들이 많아질수록 운영자의 마음은 피폐해지고, 결국 오래 지속하지 못하는 중요한 원인이 되곤 한다.

그런 면에서 우리는 조금은 나은 경우다. 일단 지방이자 관광지이기 때문에 구매 의사가 전혀 없이 일부러 다른 목적으로 방문하기에는 접근성이 떨어지고, 운영 초기에 사진 촬영 금지를 결정한 덕에 사진 촬영을 위한 방문은 없기 때문이다. 물론 근처 맛집에 대기를 걸어두고 연락이 올 때까지 시간을 보내러 방문하는 분들도 적지 않고, 우연히 방문한 분들이 대부분이라 모르거나, 혹은 알고 나서도 사진 촬영을 하는 분들이 여전히 존재한다. 그래도 우리는 이 가게의 존재를 모르고 방문한 분들이 아직도 많기 때문에, 뭔가 하고 들어왔다가 본인의 취향에 맞지 않아 구매하지 않고 나가셔도 충분히 이해할 수 있다.

그럼에도 이런 분들이 대부분인 하루엔 정말 힘이 쭉쭉 빠진다. 예전에도 한 번 말했던 것 같은데, 가끔 손님이 엄청 몰려서 가게 안이 북적이다가도 그 모두가 아무도 구매하지 않고 썰물처럼 다 빠져나갔을 땐 솔직히 믿기지가 않아서 나도 모르게 헛웃음이 나온 적도 많다. 분명 이런저런 제품을 한참이나 손에 들고, 또는 품에 안고 계셨던 분들이 많았는데 그 가운데 한 명도 구매하지 않았다는 게 적지 않은 충격이었기 때문이다.

우리의 경우 앞서 예로든 독립서점들에 비하면 여러 가지 요인으로 인해 상황이 좀 나은 편이긴 하지만 그래도 근래 들어하게 된 작은 결심이 하나 있다. 가게를 운영한 지약 2년쯤 지난 시점에 이런 고민을 한 적이 있다. '손님 자체의 방문이 너무 적지만 방문하는 손님들은 대부분 구입을 하는 가게 (혹은 이런 입지)'와 '방문한 손님 대비 구매율은 훨씬 낮지만, 많은 손님들의 방문으로 많은 매출을 기대해볼 수 있는 가게 (혹은 입지)' 가운데 무엇이 더 좋을까 하는 고민. 아마 그때만 해도 후자가 훨씬 감사한 경우라고 생각했고 지금도 그 생각이 아주 크게 달라지지는 않았다. 일부러 손님을 방문하게 하는 것이 얼마나 어려운지 잘 알고 있기 때문이다.

하지만 그럼에도 만약 다음 스텝에서 다른 곳에 가게를 열게 된다면 전자의 경우를 택하겠다는 결심을 했다. 왜냐하면 전자는 후자에 비해 상업성은 떨어지게 마련이지만, 작은 가게의 특성상 이 공간을 운영하는 나나 혹은 다른 직원의 멘털이 전부라고 봤을 때 더 오래 덜 상처받으며 견딜 수 있는 건 분명히 전자의 경우이기 때문이다. 힘들지만 돈을 더 벌 수 있는 방법을 놔두고 더 (맘) 편한 방법을 선택하는 안일한 (혹은 배부른) 소리라고 할지도 모르지만, 4년 정도 운영해보니 나의 분명한 한계를 알게 됐다. 더 오래 하려면 덜 스트레스(상처) 받는 방법을 선택할 수 밖에는 없다.

그게 더 현명해!

* 실제로 이 결심은 실행으로 옮겨졌고,
서울 매장은 방문하는 손님은 매우 적지만 대부분은 구입을 하는 형태로 아직은 운영되고 있다.

52. 다섯 번째 8월의 크리스마스

벌써 4주년

전례도 없고, 연고도 없고, 경험도 없이 뛰어 들어서 '그래 망하더라도 2년만 해보자, 2년 정도 하면 감이 오겠지'라고 시작했던 일이 벌써 2년씩 두 번, 4년이 됐다. 1주년, 2주년, 3주년 때는 계속 더 성장하기만 한 덕에 매번 '다행이다' '운이 좋다'라는 소감 위주였던 것 같은데, 4주년을 맞는 올해는 조금은 다른 느낌이다.

그동안 단순히 운이 좋아서 잘 되던 거품들이 서서히 빠지기 시작했고, 역시 내 노력보다는 시장 상황과 분위기에 휩쓸려 덩달아 잘 되던 것들도 점차 제자리를 찾아갔다. 그렇게 매출에 거품이 빠지기 시작하면서 좀 더 초심으로 돌아가 본질을 돌아보게 됐고, 바짝 정신을 차리고 아직 덜 빠진 거품이 마저 빠지길 서서히 기다리는 중이다.

요 몇 달 사이 가장 많이 한 생각은 '나는 왜 이 일을 하게 됐지?'였다. 돈을 많이 벌거나 사회적으로 성공해서 누구나 부러워할 만큼 유명해지거나 거대한 회사가 되려던 것은 물론 아니었다. 하지만 예상하지 못했던 곳들에서 기대 이상의 퍼포먼스를 보여주면서 나도 모르게 조금씩 욕심을 부리게 되는 경우가 생겼고, 대부분 잘 참아냈지만 그래도 안 했으면 더 좋았겠다 싶은 순간들도 조금씩 생겼다. '나는 왜 이 일을 하게 됐지?'에 대한 대답은 당연히 '영화를 좋아해서' '좋아하는 일을 하며 적당히 생계를 꾸려갈 수 있으면 좋겠다'였는데, 우습지만 가끔은 너무 쉽게 이걸 잊고 만다. 그래서 좋아하지 않는 일들을 진행하거나, 적당히를 모르고 생계를 꾸려가는 일을(돈을 벌 것 같은 일만을) 쫓기도 한다. 하지만 이런 유혹은 '마이페이보릿'이라는 일을 하는 이상 끝나는 날까지 함께 하게 될 어쩔 수 없는 동반자라, 매번 정신을 바짝 차리는 것밖에는 방법이 없다.

'나는 왜 이 일을 하게 됐지?'라는 질문과 함께 요즘 또 자주 하는 생각은 '큰 실패 없이 버텨온 게 정말 다행이다'다. 실패에서 배운다고, 보통 사업을 하다 보면 큰 손해나 실패를 겪게 되면서 좌절하는 동시에 다시금 마음을 다잡고 초심을 떠올리며 더 열심하게 마련이다. 아니면 너무 잘되기만 한 나머지 전혀 돌아볼 생각도 여유도 갖지 못하다가 회복하지 못할 정도로 큰 실패를 겪게 되기도 한다. 이런 일들이 생각보다 내게도 언제든 쉽게 일어날 수 있는 일이라고 봤을 때, 큰 실패도, 엄청난 성공도 없이 초심을 떠올리게 되는 계기를 마련했다는 건 정말 다행이고 이 역시 운이 좋은 편이 아닐까 싶다.

앞서 매출의 거품이 마저 빠지길 서서히 기다리고 있다고 했는데, 이것처럼 배부른 소리도 없을 거다. 정말 최악의 경우라면 그것이 거품인 걸 알면서도 제발 조금만 더 남아 버텨주길 간절히 바랄 수 밖에는 없을 테니 말이다. 이렇듯 배부른 소리를 하며 다시금 정신 차리고 자세를 가다듬을 수 있는 여유가 있는 것 자체가 4주년을 맞는 내게 가장 다행스러운 일이자, 가장 큰 성과가 아닐까 싶다.

2018년 8월 25일. 8월의 크리스마스에 맞춰 군산에 문을 연 마이페이보릿이 벌써 4주년이 됐다.

딱 2년만 해보자 했던 결심은 이제, '그래도 10년은 해보자'로 업데이트됐다.

앞으로 마이페이보릿은 어떻게 될까. 계속 군산의 영화 굿즈샵으로 남을까? 아니면 서울 혹은 다른 지역에 더 큰 매장을 열게 될까? 온라인 스토어는 계속할 수 있을까? 좋아하는 영화를 직접 수입하게 될까? 언젠간 극장이 될까?

아마도 5주년엔 무언가 크게 달라져 있지 않을까 하는 막연한 상상을 해보며, 그것이 걱정보다는 기대가 되어 앞으로의 1년을 이끌어 가는 에너지가 되길 바란다.

* 이 가운데 서울에 더 큰 매장을 열게 되는 것 까지는 진행이 됐다. 과연 그 다음 일들이나 다른 일들도 이뤄지게 될까?

53. 아직 최선을 다하지 않았어

이젠 한 번 해볼태야

커피의 저주. 커피를 내리기만 하면 없던 손님도 오게 되어 결국 커피를 못 마시게 된다는 저주 아닌 저주를, 더 어려운 시절이 닥쳐올 때를 위해 끝까지 비장의 카드로 남겨두고 싶은 마음처럼. 지난 4년 넘는 시간은 내게 100%의 최선을 다하지 않으려고 무던히 애써왔던 시간이었다.

누군가가 보기엔 '저렇게 여유를 부려도 되나?' 싶을 정도로 마냥 여유롭게 보였을 수도 있고, 또 누군가에겐 '매번 최선을 다하는 것 같은데?'라며 고개를 갸우뚱하게 만들 기도 했을 거다. 물론 나 스스로에게 나태하지 않을 만큼 열심히 해왔던 것은 사실이지만, 역시 나 스스로에게 '이보다 더 열심히 할 수는 없어' '진짜 할 수 있는 만큼은 다 했어'라고 말할 수 있을 정도로 노력했던 적은 없었다. 이렇게 말할 수 있는 상태가 100%라면 지난 시간들은 한 80%를 넘나드는 선에서 유지하고자 노력했던 시간이었다.

코로나로 위기를 겪었을 때도, 여러 다른 일들로 매출이 떨어졌을 때도 내가 항상 다행이라고 생각한 건 딱 한 가지였다.

'그래도 아직 최선을 다하지 않았잖아'

'최선을 다하면 분명 더 나아질 수 있지 않을까?'

내가 그동안 자주 '운이 좋았다'라고 얘기했던 건 바로 이 때문이다. 세상엔 처음부터 100% 전력을 다해, 또 없던 힘까지 모조리 끌어와 120%, 150%를 쉴 틈 없이 투입해도 해결되지 않는 상황들이 있고, 어떻게 해볼 수 조차 없는 어려운 상황들이 있다는 걸 잘 알고 있기 때문이다. 100% 전력을 다하지 않고 적당한 선을 유지하면서도 크게 어려움을 겪지 않고 더군다나 계속 조금씩 앞으로 나아갈 수 있었다는 건 분명 '운'이 필요한 일이었다. 그동안 우리는 그런 면에서 참 운이 좋았고, 그 점을 매번 잊지 않으려고 했다.

하지만 5주년을 앞둔 시점에서 본능적으로 알게됐다. 이제는 최선을 다해야 될 시점을 더 이상 피할 수 없다는 걸. 그동안 계속 최소한, 최소한의 규모를 유지하고자 했던 노력과 계획은 더 이상 최소한을 고집할 수 없는 한계에 다다랐고, 그 결과 여러 다른 복합적 이유들이 더해져 지난 4월부터 서울 그것도 마포구 서교동에 군산 매장보다도 더 큰 규모의 매장과 사무실을 겸하는 공간을 오픈하게 됐다.

심적으로는 계속 준비했던 일이지만 현실적으로는 너무 갑자기 모든 규모가 커져버린 상황이기 때문에 정신 차릴 시간이 필요했고, 비싼 월세를 그냥 흘려보내면서도 오픈 시점을 최대한 미뤘다. 그리고 경제적 상황은 점점 더 숨통을 조여 오는 가운데서도 적극적 홍보도 없이, 간판도 없이 가오픈 형태로 한 달 가까이 운영 중인데 하루하루 한 발 한 발 조심스럽게 버티며 내딛는 중이다.

사실 조금은 겁이 난다.

아직 최선을 다하지 않았다는 건 허세나 여유라기보다는 최후의 보루 같은 거였다. 그런 상황이 오지 않았으면 하고 바라며, 끝까지 꺼낼 일이 없었으면 하는 카드. 그건 막상 그 카드를 썼음에도 상황이 나아지지 않았을 때를 생각하지 않을 수가 없기 때문이다.

좋든 싫든 이제 최선을 다해야 할 시간이 왔다.

운이 따라 주지 않아도 실력으로 돌파해 낸다!

마이페이보릿은 아직 하고 싶은 이야기가 많이 남아 있으니까!

54. 헤어질 결심

안녕, 군산 마이페이보릿

서울로 다시 이사를 가고 매장을 새로 내면서도 군산 매장을 닫을 생각은 전혀 없었다. 주인의 영향력이 절대적인 가게의 특성상 과연 나 없이도 원격으로 잘 운영될지 미지수이기는 했지만, 그럼에도 군산 오프라인 매장은 최대한 오래 유지하는 것이 첫 번째 목표였기 때문이다.

군산 매장을 계속하고 싶었던 가장 큰 이유는 국내 최초(?) 영화굿즈샵이라는 상징성을 유지하고 싶어서였다. 물론 서울에서 계속 매장을 이어나가고 있기 때문에 군산 매장을 닫는다고 해도 상징성이 사라진다고 볼 수는 없지만 그래도 처음 시작한 곳에서 계속하고 있다는 의미를, 지킬 수 있을 때까지는 지키고 싶었기 때문이다. 아, 그리고 말이 나온 김에 가끔 마이페이보릿을 소개할 때 '국내 최초(?)' 영화굿즈샵'이라는 수식어를 쓰는데, 매번 쓸 때마다 최초 옆에 (?)를 추가하는 이유가 있다. 마이페이보릿은 2018년 8월에 첫 영업을 시작했는데 그보다 두 달 앞선 6월에 프로파간다 시네마스토어가 먼저 문을 열었기 때문이다. 그런데 잘 알다시피 프로파간다 스토어는 매 월 하루만 오픈하는 형식으로 운영 중이라 상시 운영하는 가게로는 우리가 최초는 맞다. 하지만 프로파간다를 모르는 사이도 아니고 오히려 처음부터 지금까지 계속 도움을 주고받고 있는 관계라 공격적으로 최초라는 타이틀을 홍보하지는 않고 있다는 TMI.

다시 본론으로 돌아와, 5년 가까이 오프라인 매장을 운영하다 보니 실제로 군산 하면 떠오르는 곳으로 마이페이보릿을 한 손에 꼽는 분들이 점점 늘어났다. 영화를 좋아하지 않는 분들도 군산 여행을 와서 여러 가지 구경했던 곳 가운데 좋았던 기억으로 많이들 꼽아주셨고, 〈8월의 크리스마스〉와 영화를 사랑해 군산을 방문한 분들 역시 우리를 첫 손으로 꼽아주신 분들이 점점 늘어났다. 처음부터 의도한 것은 아니었지만 영화의 도시 군산, 그것도 초원사진관과 아주 가까운 곳에 국내 다른 곳에서는 찾아볼 수 없는 영화 관련 상점이 있다는 건 정말 딱 떨어지는 조합이었다. 그렇기 때문에 군산, 영화, 마이페이보릿이라는 이 관계와 상징성을 포기하고 싶지 않았다.

그리고 무엇보다 군산이라는 도시가 좋았다. 진짜 아무 연고도 없이 그저 〈8월의 크리스마스〉가 좋아서, 또 골목의 분위기와 아스팔트가 아닌 바닥 느낌이 좋아서 정했던 도시와 가게였다. 지방 살이를 오래 꿈꿔왔던 터라 그랬는지도 모르겠지만 특별히 불편한 점들은 없었고, 일하고 아이 키우고 생활하는 데에 부족함도 없었다. 오히려 미취학 아동과 함께 하기에는 더 좋은 환경이었을 거다. 그 좋은 환경을 일하느라 좀 더 누리지 못한 것이 아쉬울 뿐.

다 말할 순 없지만 결국 서울에서는 군산 매장의 관리가 제대로 되지 않아 예상에 없던 조기 영업종료를 할 수밖에는 없었다. 가게의 특성상 과연 시스템을 잘 마련한다면 원격 관리가 가능할지가 관건이긴 했는데, 그 시스템을 제대로 만들어보기도 전에 관리가 잘 안 되고 있다는 걸 알게 된 이상 하루라도 더 영업을 하는 것이 내겐 엄청난 부담이었다. 돈을 조금 더 버는 것도 중요하지만 한 번 잃어버린 신뢰는 회복하기가 정말 어렵기 때문에 조금은 급작스럽게, 그래서 오히려 준비가 덜 된 채로 군산 매장을 닫게 됐다. 아, 정말 닫고 싶지 않았는데, 어쩌면 혼자서 이 모든 것을 관리할 수 있다는 것 자체가 욕심이었을지 모르겠다.

군산을 더 좋아하게 된 건 아이러니하게도 매장을 닫는다는 공지를 올리고 나서였다. 5년이라는 짧지 않은 시간 동안 오가며 서로 얼굴을 보고 인사 나누는 군산 분들도 있고, 인사까지 나눌 정도는 아니지만 한 번 이상 방문한 분들은 거의 다 기억하는 편이라 아주 가끔씩 오시는 분들도 나 혼자 기억하고 있던 터였다. 그래도 관광지에 있는 가게의 특성상 대부분은 딱 한 번 방문하고 끝이거나 1년에 한 번 정도 방문하는 관광객 분들이 대부분이라 가게를 닫는다고 했을 때 (특히 아예 폐업하는 게 아니라 오히려 더 많은 손님들이 방문할 수 있는 서울 매장이 존재했기 때문에) 아쉬워하는 분들이 많지는 않을 거라 생각했었다.

그런데 막상 군산 매장을 닫는다는 글을 보고 나서 많은 분들이 댓글로 또 개별 메시지로 아쉬움을 전해주셨는데, 그걸 하나하나 읽다 보니 그동안 내 생각보다 더 사랑받았구나 하는 생각이 들어 마음이 뜨거워졌다. 특히 군산에 이런 가게가 있어서 정말 좋았었다는 가까운 군산 분들의 말들, 그리고 군산이 고향이라 가끔 내려올 때마다 좋았었다는 말들, 군산은 아니지만 가까운 전주, 익산 등 다른 전북 권에서 종종 찾아주셨던 분들의 아쉬운 말들까지. 죄송한 마음과 고마운 마음이 동시에 몰려왔다. 몇몇 분들은 개별 메시지로 그동안 수고하셨다고, 고마웠다고 일부러 말씀을 주셨는데, 정말 영업종료를 지금이라도 취소할까 하는 마음이 들 정도였다. 영업종료를 알리는 인스타 게시물에 댓글로 나중에 기회가 된다면 꼭 다시 군산에서 마이페이보릿을 하고 싶다는 말을 남겼는데, 그건 결코 빈말이 아니었다. 진심으로 아주 먼 미래가 아니라 가까운 미래라도 기회를 만들 수만 있다면 꼭 다시 다른 곳이 아닌 군산에서 다시 해보고 싶다는 생각, 아니 결심을 하게 됐다.

군산이 아닌 서울에서 처음 마이페이보릿을 시작했다면 아마 여기까지 오지 못했을지도 모른다. 생각보다 큰 계획 없이 진행된 아주 큰 삶의 변화였지만, 다시 돌아가 한참을 계획하고 행동한다고 해도 결론은 아마 군산이 될 거다.

지난 5년간 정말 고마웠어 군산.
언젠간 다시 돌아갈게.

ビデオ

Panasonic

아직 최선을 다하지 않았어

1판 1쇄 발행 2023년 9월 10일

지은이 신현이

펴낸이 신현이
펴낸곳 마이페이보릿
주소 서울 마포구 양화로 11길 18 지층
전자우편 real.ashitaka@gmail.com
인스타그램 @store.myfavorite

ISBN 979-11-963203-6-2 03680